DUANAIRE OSRAÍOCH

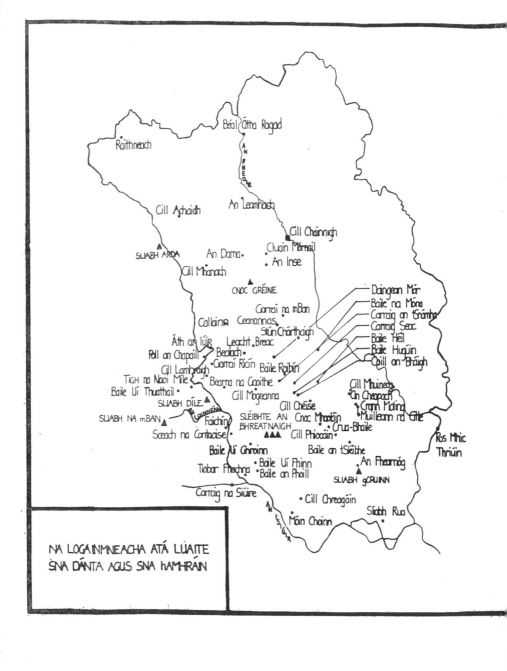

Béal Átha Ragad

Raithneach

Cill Achaidh   An Leamhach

An   Cill Chainnigh
F   Cluain Mórmail
H   An Inse
E
O
K

SLIABH ARDA   An Dama

Cill Mhanach

CNOC GRÉINE   Daingean Mór
                                   Baile na Móna
              Carraí na mBan   Carraig an tSnámha
Callainn Ceanannas   Carraig Seac
              Stiún Chárthaigh   Baile Héil
Áth an Iúir Leacht Breac   Baile Huáin
Poll an Chapaill Bealach   Cill an Bháigh
    Cill Lambraigh Carraí Rícín Baile Raibín
TIGH na Naoi Míle Bearna na Caoithe
Baile Uí Thuathail   Cill Mhuineag
    SLIABH DÍLE   Cill Mógeanna   An Cheapach
                        Cill Chéise Crann Móina
SLIABH NA mBAN   SLÉIBHTE AN Cnoc Mhaoláin Muilleann na Cille
        Faichín   BHREATNAIGH   Cnoc na Bhaile
Sceach na Contacise   Cill Phíocáin
    Baile Uí Ghroinn   Baile an tSléibhe
Tiobar Fhachna Baile Uí Fhinn   An Fhearnóg
                Baile an Phoill SLIABH gCRUINN
    Carraig na Siúire
                        Cill Chreagáin
                                   Sliabh Rua
            Móin Choinn

Ros Mhic
Thriúin

LEABHAIR THAIGHDE
An 33ú hImleabhar

DUANAIRE OSRAÍOCH

Cnuasach d'fhilíocht na ndaoine ó Cho. Chill Chainnigh

DÁITHÍ Ó hÓGÁIN

An Clóchomhar Tta
Baile Átha Cliath

An Chéad Chló 1980
© An Clóchomhar Tta

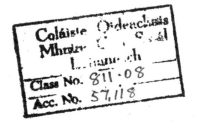

Dundalgan Press a chlóbhuail

dom' athair
DÁITHÍ Ó hÓGÁIN
agus do mo mháthair
MÁIRE NÍ THIRIAIL
beirt Osraíoch

AN CLÁR

AN RÉAMHRÁ

Is é atá sa leabhar seo cnuasach d'fhilíocht agus d'amhráin a bhí ar bhéil daoine i gCo. Chill Chainnigh idir na blianta 1750 agus 1850. Leaganacha de na dánta agus na hamhráin a bailíodh i ndeireadh na tréimhse sin agus as sin aniar go 1867 atá i gceist, agus tá anáil an traidisiún béil le brath—níos soiléire ar uaire ná a chéile—ar an gcrot atá orthu. Ní miste cuimhneamh, mar aon leis sin, go raibh an Ghaeilge ar an dé deiridh mar theanga labhartha an phobail nuair a bailíodh na focail, agus ba dheacair dá bharr sin leaganacha de na dréachtaí ó dhaoine éagsúla a aimsiú chun go bhféadfaí téacsanna údarásacha a chur ar fáil. In easpa an staidéir chomparáidigh, mar sin, ní foláir scrúdú a dhéanamh ar dheilbh gach téacsa faoi leith agus ar an bhfianaise inmheánach atá le fáil ann. Cúig théacs is tríocha atá curtha in eagar anseo .i. a bhfuil de dhéantúis véarsaíochta ó Cho. Chill Chainnigh i Lámhscríbhinní Prim i Roinn Bhéaloideas Éireann, an Coláiste Ollscoile, Baile Átha Cliath. Ní mór an staidéar atá déanta fós ar thraidisiún Gaelach Laighean san 18ú agus sa 19ú céad, agus táthar ag súil nach beag de chabhair é an cnuasach seo chun léargas a fháil ar ghnéithe den traidisiún i limistéar amháin den chúige sin. Bhí Osraí ar cheann de na ceantair ba threise agus ba shia a choinnigh an teanga Ghaelach in úsáid in oirthear na tíre.

Pobal na Gaeilge in Osraí ag an am

Ceantar láidir Gaeltachta ba ea Co. Chill Chainnigh san 18ú céad. Tá tuairisc againn ón tSuirbhéireacht Staitistiúil i bhfíorthús an 19ú céad a deir gur annamh a labhraíodh na gnáthdhaoine sa chontae ag an am aon teanga eile eatarthu féin seachas Gaeilge agus go mbíodh ar na sagairt seanmóintí a thabhairt uathu i nGaeilge nuair a theastaíodh uathu go dtuigfí i gceart iad. Tugtar le fios sa tuairisc seo, leis, go raibh mórchuid daoine—mná go háirithe—ina gcónaí sna limistéirí aimhréidhe nach raibh focal Béarla acu. Bhí an Ghaeilge níos tiubha ar thaobh na Mumhan den chontae, áfach, ná mar a bhí ar thaobh Cho. Cheatharlach. Sa bhliain 1822, thuairiscigh taistealaí Sasanach gur i nGaeilge is mó a bhí comhrá le cloisteáil i gcathair Chill Chainnigh. Bhí an teanga chomh láidir fós sa bhliain 1835 gurbh éigean don údarás áitiúil fear teanga a fhostú chun plé leis an bpobal. Nuair a thagtar chomh fada le torthaí dhaonáireamh na bliana 1851, tá an chéad thuairisc ar fáil a chuireann an scéal i bhfoirm fhigiúirí agus chéatadán. Níl staitisticí an daonáirimh úd iontaofa ar fad, agus is cinnte go raibh níos mó daoine ina gcainteoirí Gaeilge ná mar a d'admhaigh sin do na cláraitheoirí. Mar sin féin, níl amhras ach go raibh titim thubaisteach tagtha ar líon na ndaoine a raibh an teanga acu, agus is féidir glacadh leis go raibh Gorta Mór na bliana 1848 ar cheann de na príomhchúiseanna leis an scéal a bheith amhlaidh. I mbarúntacht Uí Deá is líonmhaire a bhí lucht labhartha na Gaeilge, de réir an daonáirimh. Bhí 5,756 duine ansiúd a chláraigh go raibh Gaeilge acu (34·9 % den phobal). Bhí 4,242 a chláraigh ar an gcuma chéanna in Uíbh Eirc (31·3 %). Cnoc an Tóchair an bharúntacht a bhí sa tríú háit, le 2,866 Gaeilgeoir (26·2 %). 2,216 duine a chláraigh ina nGaeilgeoirí i gCeanannas (22·8 %); 1,266 i Síol Fhaolchair (15·7 %); 1,411 i gCrannach (11·1 %); agus 477 i gCallainn (7.5 %). An bharúntacht ba líonmhaire daonra, Gabhrán, in oirthear an chontae, ní raibh ach 1,748 Gaeilgeoir ann (5·8 %). Na barúntachtaí i bhfíorthuaisceart agus in oirthuaisceart an chontae ba laige ó thaobh Gaeilge, viz. Gabhal Maighe le 458 duine (4·4 %), agus Fásach an Deighneáin le 390 duine (1·9 %). In Osraí Uachtarach, trasna na teorann i gCo. Laoise, ní raibh ach 70 Gaeilgeoir de réir na bhfigiúirí.

Tá patrún soiléir le tabhairt faoi deara sa mhéid sin—i bhfíordheisceart an chontae ba láidre a bhí an Ghaeilge, agus bhí na cainteoirí líonmhar go maith sa leath thiar, leis. Ach bhí sí ag imeacht go tiubh as an tuaisceart agus as an oirthuaisceart. Bhí sí beagnach imithe cheana féin as cathair Chill Chainnigh (590 duine, nó 3 % den phobal). Cé nár cheart a rá go bhfuil cruinneas rómhaith sna staitisticí sin, is féidir glacadh leis an gcoibhneas eatarthu mar shlat tomhais. Leid faoi neart is seasamh na teanga, gan amhras, is ea an méid de na daoine a bheadh sásta a rá go raibh sí acu ó cheantar go chéile. Rud eile, leanann figiúirí dhaonáireamh na bliana 1891 an patrún coibhnis céanna tríd is tríd ó bharúntacht go barúntacht. An t-aon mhórdhifríocht atá le tabhairt faoi deara anseo is ea go bhfuil na figiúirí roinnte faoi thrí laistigh de dhaichead bliain (nó aon ghlún amháin). Seo mar atá i ndaonáireamh na

[10]

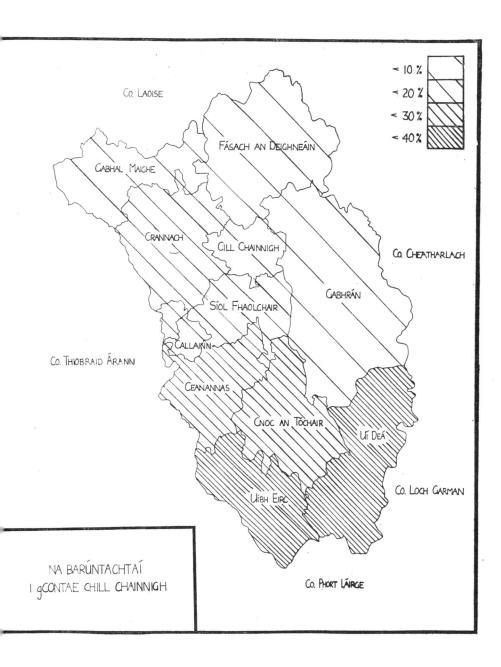

Co. Laoise

Fásach an Deighneáin

Cabhal Maighe

Crannach

Cill Chainnigh

Co. Cheatharlach

Gabhrán

Síol Fhaolchair

Callainn

Co. Thiobraid Árann

Ceanannas

Cnoc an Tóchair

Uí Deá

Uíbh Eirc

Co. Loch Garman

< 10 %
< 20 %
< 30 %
< 40 %

Na Barúntachtaí
i gContae Chill Chainnigh

Co. Phort Láirge

bliana 1891: Ceanannas, 499 duine (10·6 %); Uíbh Eirc, 876 duine (10·3 %); Uí Deá, 899 duine (9·6 %); Cnoc an Tóchair, 538 duine (9·2 %); Callainn, 144 duine (5·5 %); Síol Fhaolchair, 146 duine (3·7 %); Crannach, 186 duine (2·9 %); Gabhrán, 324 duine (1·9 %); Gabhal Maighe, 58 duine (1·1 %); agus Fásach an Deighneáin, 97 duine (0·8 %). 166 duine, nó 1·4 % den phobal, a chláraigh ina nGaeilgeoirí i gcathair Chill Chainnigh.[1]

Fiú má ghlactar leis na figiúirí sa dá dhaonáireamh sin mar thuairisc chruinn ar líon na gcainteoirí Gaeilge, is féidir a fheiceáil nach fada ó bhí an contae ar fad ina Ghaeltacht. Má bhí isteach is amach le 15 % den phobal ina nGaeilgeoirí sa bhliain 1851 agus má bhí an céatadán tite faoi bhun 5 % i 1891, is ionann sin agus a rá gur roinneadh an céatadán faoi thrí laistigh de ghlún. De réir an ráta meatha seo, is ceart céatadán isteach is amach le 45 % a shamhlú leis an mbliain 1810 nó mar sin sa chontae trí chéile. Bheadh an líon chomh hard le 90 % i mbarúntachtaí Uí Deá agus Uíbh Eirc, agus thart faoi 70 % i gCnoc an Tóchair agus i gCeanannas. Dhealródh sé as seo, gan an Gorta Mór a chur san áireamh in aon chor, go raibh an chuid is mó de Cho. Chill Chainnigh ina Fíor-Ghaeltacht ag tús an 19ú céad. Tagann seo go maith leis an tuairisc a thug Whitley Stokes sa bhliain 1806, nuair a dhearbhaigh sé go raibh an Ghaeilge in uachtar go mór sa chontae. Is cinnte, áfach, go mba Bhreac-Ghaeltachtaí iad barúntachtaí an oirthir agus an tuaiscirt (Gabhrán, Fásach an Deighneáin, agus Gabhal Maighe) ó lár an 18ú céad amach.

Is le barúntachtaí Uíbh Eirc, Chnoc an Tóchair, Cheanannais agus Challainn a bhaineann an chuid is mó go mór fada den véarsaíocht atá sa chnuasach seo. I gceantar Challainn agus Cheanannais is mó a bhíodh triall Sheáin Uí Dhoinn, an té a bhailigh tromlach na dtéacsanna, agus tá rian a shuímh le brath ar ar bhailigh sé. Ar an gcuma chéanna, is ar thaobh Cho. Thiobraid Árann de theorainn Osraí a bhí an bailitheoir eile, Séamas Ó Braonáin, suite. Bhí a cheantar siúd láidir go leor ó thaobh Gaeilge le linn dó a bheith ag bailiú (barúntacht Shliabh Ardach, mar ar chláraigh 6,778 duine, nó 25·4 % den phobal, ina nGaeilgeoirí

---

[1] Tá na figiúirí agus na tagairtí á dtabhairt anseo as Brian Ó Cuív, *Irish Dialects and Irish-speaking Districts* (Baile Átha Cliath 1971) lgh 19-27, 77-8; agus de Bhaldraithe, lgh xviii-xix.

i 1851). Bhí, mar sin, seans maith ag véarsaíocht Ghaelach a tháinig isteach ó Cho. Chill Chainnigh maireachtáil i gcomhluadar dá shaghas. Ba dheacair don chumarsáid chultúir, dá fheabhas í, fadhbanna nádúrtha bailiúcháin a bhainfeadh le faid an bhailitheora ó cheantair áirithe a shárú, áfach. Is beag ar fad an léiriú atá le fáil sa chnuasach ar an véarsaíocht a bhíodh i mbéal an phobail i gcomharsanacht Uí Deá, cuir i gcás, cé gur sa chúinne thoir theas sin den chontae ba láidre ar fad a bhí an teanga ag an am. Ar an taobh eile, bheifí ag súil le ganntanas ábhair as barúntachtaí Ghabhráin, Fhásach an Deighneáin, agus Ghabhal Maighe, de bharr an teanga a bheith ag dul ar gcúl iontu. Ní dócha go raibh mórán cumadóireachta ar siúl sna codanna sin den chontae sa tréimhse atá faoi chaibidil againn, agus ní dócha gur faid na mbailitheoirí ó na limistéir sin amháin is bun leis an teirce. Agus sin go léir ráite, ní miste a éileamh go mbeadh crot eile ar fad ar an gcnuasach seo dá mba rud é go raibh ar chumas na mbailitheoirí an contae ar fad a shiúl chun a sástachta, agus é sin a bheith déanta acu níos cóngaraí do thús an 19ú céad ná na 1860í.

Foinsí na dTéacsanna

Lámhscríbhinní Prim i Roinn Bhéaloideas Éireann is foinse do na téacsanna. Ba le John G. A. Prim na lámhscríbhinní seo, agus tá ábhar ilghnéitheach iontu a bhaineann le hOsraí ó thaobh staire, seandálaíochta, béaloidis, agus litríochta. Maidir leis an bhfilíocht Ghaelach, le Co. Chill Chainnigh agus Co. Thiobraid Árann a bhaineann an chuid is inspéise di. Sna blianta 1864-1867 a bailíodh an fhilíocht seo, nuair a chuir Prim beirt scoláire Gaelach i mbun bailiúcháin dó. Ba iad siúd Seán Ó Doinn agus Séamas Ó Braonáin. Tá beagán de shaothar láimhe Phádraig Uí Néill i measc na lámhscríbhinní, chomh maith. Ar bhileoga scaoilte is mó atá scríbhinní Uí Dhoinn, ach tá beagán díobh i bhfoirm chóipleabhar agus fótacóipeanna. Ábhar atá sa chuid dheiridh seo nár bhain le Lss Prim go bunúsach, ach ar chnuasaigh Roinn Bhéaloideas Éireann féin é, agus a cuireadh leis na lámhscríbhinní eile. I leabhair bheaga nótaí atá saothar an Bhraonánaigh. Maidir le Pádraig Ó Néill, níl úsáidte san eagrán seo ach dán amháin acu. Ar leathanach scaoilte atá seo. Filíocht atá sa chuid eile a chum an Niallach féin ach a chuir sé i leith an ' Seán Mac Uaitéir Breathnach ' úd a mhaíodh sé a bhí ann sa 17ú céad (maidir leis an gcruthú gur scríbhinní falsa iad seo agus a leithéidí, cf. *Éigse* 2, 1940, lgh 123-36 agus lgh 267-73).

Ársaitheoir ba ea John George Augustus Prim (1821-1875).[2] De shliocht Protastúnach ba ea é, agus bhí a mhuintir lonnaithe i gCo. Chill Chainnigh ó lár an 17ú céad. Chaith sé tamall ina thuairisceoir ar an nuachtán úd *The Kilkenny Moderator*, agus bhí sé páirteach le scata ógfhear eile a raibh dlúthshuim acu i stair agus i seaniarsmaí Osraí. Chuir Prim roimhe cuntas a scríobh ar phríomhfhothracha stairiúla Cho. Chill Chainnigh idir na blianta 1840 agus 1850, agus bhí mar aidhm aige díriú ar ball ar stair an chontae a scríobh. Sa bhliain 1849 bhunaigh sé féin agus an tUrramach James Graves an ' Kilkenny Archæological Society ', agus scríobh sé mórchuid alt in iris an chumainn sin. Deineadh eagarthóir ar an *Kilkenny Moderator* de, agus ón mbliain 1855 amach is faoi a bhí stiúrú iomlán an nuachtáin. Traidisiún daingean dílseachta don Choróin agus don Aontacht a bhí ag an nuachtán, mar a bhí ag muintir Prim féin, agus tá blas láidir an fhrithnáisiúnachais agus na coimeádtachta ar na heagarfhocail a tháinig ó pheann an eagarthóra nua. Mar sin féin, bhí cuid mhaith cairde agus comhleacaithe aige a bhain leis an traisidiún Gaelach. De bharr an spéis thar meon a bhí aige i stair an chontae, shíl sé go mba cheart a raibh ag an bpobal d'amhráin agus d'fhilíocht i nGaeilge chomh maith le Béarla a bhailiú. Ní raibh aon Ghaeilge aige féin, cé gur cosúil ó litir a chuir an Donnach chuige go raibh roinnt ag a bhean chéile Mary Denroche, iníon d'iar-úinéir an *Moderator*.

Bhí aithne ag Prim le tamall ar mháistir scoile ó cheantar Pholl an Chapaill agus Gharraí Ricín, cúpla míle ar an taobh thiar de Challainn ar an teorainn idir contaetha Chill Chainnigh agus Thiobraid Árann. Ba é seo Seán Ó Doinn (1815-1892). Cé nach raibh mórán de rachmas an tsaoil ag an bhfear seo, bhí sé ina scoláire maith Gaeilge agus Béarla araon. Thaispeáin sé sa bhliain 1851 a fheabhas is a bhí an léann Gaelach aige nuair a léigh sé páipéar fada dá chuid don ' Kilkenny Archæological Society '. ' The Fenian Traditions of Sliabh-na-mBan ' an teideal a bhí ar an bpáipéar, agus bhí Fiannaíocht an bhéaloidis agus Fiannaíocht na litríochta araon pléite ann. Foilsíodh mar alt é i *JKAS* 1 (1849-51)

---

[2] Tá an t-eolas ar Prim anseo bunaithe ar alt le Frank McEvoy, ' John George Augustus Prim, 1821-1875 ', in *O.K.R.* 1976, lgh 158-68.

lgh 333-62. Lean sé air ag cabhrú le hobair an chumainn úd—ag bailiú eolais faoi logainmneacha agus sean-iarsmaí a cheantair féin, cf. *JKAS* 2 (1852-3) lgh 366, 378; 3 (1854) lgh 15-16. Sa bhliain 1854 bhronn sé ar an gcumann cóip de *Blaithfleasg na Milsean*, leabhrán de laoithe Fiannaíochta a foilsíodh i gCarraig na Siúire in 1816. In alt a scríobh sé in iris an chumainn (*JKAS* 3 (1854) lgh 8-10), thug an Donnach cur síos ar scoláirí Gaeilge a cheantair féin—ina measc Liam Ó Meachair ó Chúlach na Leac, Pádraig Ó Néill ó Ónaing, agus Piaras Breathnach ó Bhaile Uí Fhinn.

Seo cuntas ar an Donnach a bailíodh ina cheantar dúchais:

> He wore a low caroline hat, black-and-white spotted neckerchief, side-whiskers, under-chin whiskers. Features were longish, presumably oval. He wore a frock-coat. Salary from the Ormonde-Butler family was £10 per annum, supplemented by 1 penny per week from the scholars, or 1/- per quarter. The Ormondes built his house, where he conducted school for the tenants' children, before the erection of Poulacapple School when he taught there. He was a stern, reserved dominie. John Dunne used to interview folklore clients on Prim's behalf at James Maher's (.i. i Sráid an Ghraoinigh, Callainn).[3]

Chuir Prim an máistir scoile seo i mbun amhráin agus dánta i nGaeilge a bhailiú dó, agus dhíoladh sé airgead beag éigin leis ó am go chéile de réir mar a bhíodh an bailiú ag dul ar aghaidh. Fuair an Donnach mórán de dhua an chuardaigh agus é ag taisteal mórthimpeall a cheantair dhúchais ag bualadh le seandaoine a raibh cáil an bhéaloidis orthu agus ag mealladh uathu ar mhair de véarsaíocht ina gcuimhne. Tugann an litir seo a leanas a scríobh sé go Prim ar an 26/11/1864 léargas ar an saghas deacrachtaí a bhíodh aige. Ag iarraidh seanbhean i mBaile Uí Chaoimh a bhaint amach atá sé:

> When car owners foresee any chance of even a few passengers, they are unwilling to have a car out all day with only one. If he refuse, I hope to procure one in Callan and, with that view, shall leave home at dawn, the days are so very short and I do not know the woman's capacity at wording. For some, who would go on very well if the pencil could keep pace with singing or humming time, get embarrassed and forgetful when obliged to dictate in words or phrases, which must be often done in order to catch the full meaning in consequence of idiom, synonomy and corruptions.

[3] Eolas a bhailigh James Maher ó Katie Laurence. Tá an cur síos le fáil i litir ón Meacharach go dtí an Dr Tomás de Bhál, dar dáta 30/11/1951. Tá an litir curtha le Lámhscríbhinní Prim i Roinn Bhéaloideas Éireann.

In my humble opinion, the most effectual way to proceed would
be for you to drop a note by one of the Callan cars to-morrow
evening to Mr. Doyle requesting—if he conveniently could—to
call on the woman in the evening or on Thursday morning, that
she might have her memory refreshed. For peasants often get
confused when taken by surprise, and some time is necessary in
recalling to mind old songs or dirges, which are seldom either
sung or repeated nowadays. If she has the dirge in full and I have
to trespass a good while on her time and attention, I shall feel
it my duty to hand her a florin or thereabouts for snuff or tobacco.

Dála gach bailitheora, chuirtí gliondar air gan choinne ar uaire.
I litir go Prim ar an 20/2/1864, deir sé faoi fhear darbh ainm Joe
Laurence:

Perceiving the great interest taken in the matter referred to by
Mr. Walsh, he felt flattered in being commissioned by that
gentleman with a message to me, and volunteered to accompany
me to Direen's house—whither we went on Wednesday morning.
Aware that I would have to make a speech about the term
' Archæological Society ', I considered it more expedient to take
a plainer way. The old man being very deaf, his daughter-in-law
Maggie Cormack (who with the decency of all that family received
me as she did Joe Laurence) shouted into his ear, as I had
intimated: ' Two gentlemen in Kilkenny are about writing a
history of the noble house of Ormonde, and Mr. Walsh wishes
to have old songs and accounts collected for them, and have you
anything to tell or to word ? ' ' No, all those old things are going
out of my head ! ' was the reply. She then added: ' They are
to go to Kilcash also, and is there nothing to be said about
Coolaugh, Frenchmore, or Garryricken ? Is the old stock all
gone ? ' Aroused by this appeal, he replied: ' No—the ould stock
is not all gone yet ! ' Laurence tapped him on the shoulder, and
both pressed hands. He then commenced by asking me how long
since the ould rogue Cromwell was in Ireland, and on being told
he gave us a history about Sir John Butler who was seven feet high
and who barely defended the estates from the Blackdrummers—
Cromwellian troopers—two of whom he shot at *Sceach an Duailín*,
an old historic bush at Coolaugh.

Fuair an Donnach lear maith béaloidis ón seanduine beacht
úd—Risteard Ó Dirín ó Cheantar na Cúlaí Móire. Ar an méid a
fuair sé bhí dán uimhir 10 sa chnuasach seo. Seo mar a chuireann
an Donnach síos ar bhailiú an dáin:

Young Mrs. Direen, again laying her hand on his shoulder and
putting her mouth to his ear, asked had he any of the verses—any
word at all of the song—when out came the song that I and
everyone else here thought had ever been lost. I had much
difficulty in taking it down, and the daughter-in-law spared no
pains in coaxing from him all he had of it. . . .

[16]

Ní i gcónaí a d'éirigh le Seán Ó Doinn a chuid oibre a dhéanamh gan olc a chur ar dhaoine áirithe, mar is léir as litir a sheol sé go Prim ar an 21/6/1863. Is amhlaidh a bhí duine den chomharsanacht ag cur ina choinne ag an am toisc go raibh an Donnach ag iarraidh teacht ar fhocail an amhráin dar uimhir 2 sa chnuasach seo. Bhain an t-amhrán seo le heachtra inar ghlac an chléir Chaitliceach taobh na n-údarás go diongbháilte. Is cosúil go raibh véarsaí sa bhun-leagan den amhrán ag cáineadh shagart paróiste Bhéal Átha Ragad. Seo an chúis ghearáin a bhí ag an té a bhí ag cur constaicí sa tslí ar an Donnach: ' He says that in his boyhood singing or reciting it was forbidden by the Catholic clergy, and that I was now reviving it for a Protestant paper to be used in reflecting on or in sneering at the said clergy '.

Agus an cás mar seo, ní ionadh gur bhraith an Donnach—mar a luaigh sé sa litir—' isolated as I am, with ignorance and prejudices to contend with on every side '. Sagart cúnta i Muileann na hUamhan, an tAthair Ó Meachair, a tháinig i gcabhair ar Sheán sa chás seo, mar gur mhínigh sé don fhear imníoch nár ghá dó bheith buartha mar nach ndéanfadh cíoradh na staire aon díobháil. Díol spéise is ea an míniú a thug an Donnach féin don sagart ar an bhfadhb, mar go dtugann sé léargas ar an dearcadh meán-aicmiúil a bhí aige:

> The Revd. Mr. Maher . . . saw the falsehood and futility of his [.i. an fear a bhí ag gearán] remarks, on my telling him that Protestants as well as enlightened Catholics would only commend Father Alexander Cahill for having denounced the Whiteboys, whose night proceedings were inimical to priests with regard to their means of support, as well as to parsons and proctors.

Bhí plean dá chuid féin ag Seán Ó Doinn chun deacrachtaí den saghas seo a shárú agus a chinntiú nach gcuirfí olc ar mhuintir na háite, áfach. Luann sé an plean sa litir chéanna úd chun Prim:

> Numbers of the peasantry cannot be made understand the utility of an Archæological Society. Mr. Walsh, our respected and enlightened agent who inherits a literary taste from distinguished ancestors, and gentlemen in his position could do a great deal in furthering the laudable objects of your Society by occasionally expressing a wish in the presence of his sub-agents Messrs. O'Donnell (Kilcash) and McNamara (Windgap) and some of the leading tenants that all artifices found in turning up the earth might be taken care of, that any traditions, songs, or writings of the olden days . . . might be communicated and turned to good account as would be suggested. Remarks of this kind now and

[17]

again would create a taste and an appreciation of antiquarian matters, and would induce some of the more wealthy and intelligent of the tenantry to become members. . . . The local *seanchaí* would feel flattered on learning that his favourite themes were well appreciated in the quarter he liked best, and the sour-faced censor would either alter his tune or hold his malevolent tongue.

Má bhí dearcadh sóisialta teoranta ag an Donnach, is léir go raibh bua nár bheag aige ag bailiú béaloidis agus gur go cruinn slachtmhar a dhein sé a chuid oibre. Nuair nár thuig sé focal, nó nuair a bhí mearbhall cuimhne ar an seanchaí, chuir sé an méid sin in iúl go soiléir ina scríbhinn agus níor lig don phoimp ná don mhór-is-fiú a mhalairt a ligean air. Lean sé ag bailiú do Prim go dtí an bhliain 1871, agus faoin am sin bhí 39 éigin dán agus amhrán bailithe aige. Le Co. Chill Chainnigh a bhain 30 acu sin. Ach is ag sciobadh ó bhéal na huaighe a bhí sé, agus is é a thuig sin go maith. Tá deireadh ré le brath ar na focail a scríobh sé ar an 13/4/1867:

Old Tom Cahill, and his brother Michael, who worded the two Irish songs—one, on the Carrickshock affray, and the other on the acquittal of the prisoners—now repose in the old cemetery at Killamory, in the same spot to which I directed your attention in 1848, as the last resting place of their brother James Cahill, the author of both songs and the last Irish bard of Killamory.

Bhí duine eile de na seanchaithe ab fhearr, Tomás Ó Dirín, díreach curtha agus an Donnach ag scríobh na litreach sin. Maidir lena dhearth-áir siúd, an rí-sheanchaí Risteard Ó Dirín, bhí greim ar éigean aige sin fós ar an mbeatha agus é faoi mar a bheadh Oisín i ndiaidh na Féinne: ' Dick Direen of Closheveha still totters on the brink of the grave '. Is léir gur díreach in am a chuir Prim an Donnach i mbun an bhailiúcháin.

Fear ab ea Seán Ó Doinn a raibh tuiscint agus staidéar ann, agus thuig sé gur ghá daoine eile seachas é féin a bheith i mbun na hoibre céanna. Bhí teipthe air focail an amhráin a cumadh faoi bhualadh Bhaile Roibín (uimhir ɪ sa chnuasach seo) a aimsiú, d'ainneoin tréan-iarrachtaí dá chuid, agus tuigeadh dó gur mó dréacht eile a bheadh gan bailiú mura bhfostófaí daoine i gceantair eile chun na hoibre. Ar an ábhar sin, mhol sé do Prim fear eile a chur ag obair. Ba é sin Séamas Ó Braonáin, suirbhéir talún ó Bhaile Cuilinn, paróiste Chill Mheanman, i gCo. Thiobraid Árann. Cúpla míle siar ó dheas ó Mhuileann na hUamhan atá an áit sin.

[18]

Bhíodh an Braonánach seo fostaithe, chomh maith, mar oide dá gclann ag an dream saibhir ina cheantar. I litir chun Prim ar an 19/2/1864, tugann Seán Ó Doinn air ' a classical scholar, or rather tutor, for it's in the capacity of private tutor he has instructed Revd. Mr. Bryan's children, also Mr. Mullally's '. Dlúthchara le Seán Ó Doinn ba ea an Micheál Ó Maolalaigh úd, agus ba é an Donnach a chuir in aithne do Prim é (litir ón Donnach go Prim, 6/1/1863). Is é an Maolalach a dheineadh Séamas Ó Braonáin a dhíol as a shaothar ag bailiú. Mar a deir an Donnach sa litir úd ar an 19/2/1864: ' Brennan told me after Mr. Mullally had left that he gave him a shilling each day he had been out on the matter, and he Brennan gave 3*d.* out of each shilling for tobacco to put the peasants in humour '. Maidir leis an scéim bhailiúcháin seo, chuir an Donnach comhairle ar Prim a thaispeánann go raibh tabhairt faoi deara ann agus é ag plé le daoine. ' Anything Mullally or Brennan will forward ', ar seisean, ' the better way is to make much of it '.

Murb ionann agus an Donnach, ní raibh mórán cur amach ag Séamas Ó Braonáin ar chóras litrithe na Gaeilge. Meascán de litriú Béarla agus Gaeilge a chleachtadh sé. Bhailigh sé cuid mhaith amhrán do Prim, agus chuir sé aistriúchán Béarla le gach ceann acu. Le Co. Thiobraid Árann a bhaineann tromlach mór na n-amhrán seo,[4] ach tá dhá cheann acu a bhaineann le Co. Chill Chainnigh i gcló anseo (uimhreacha **1, 29**). Ní fada a mhair an Braonánach i mbun na hoibre, áfach, mar go bhfuair sé bás in 1866 (litir ón Donnach go Prim 19/5/1866, viz. ' poor James Brennan who, the last time I saw him on earth had entertained me for a mile along the road, reciting several verses in Irish ').

Prim féin a fuair a bhfuil de scríbhinní Phádraig Uí Néill ó Ónaing ina chuid lámhscríbhinní. Aon dán amháin astu atá i gcló anseo (uimhir **28**), agus is ó Sheán Ó Donnabháin a fuair Prim an scríbhinn sin tríd an Urramach Graves sa bhliain 1852.

Tá dréachtaí garbha de chuid mhór de na dánta agus na hamhráin a bhailigh Seán Ó Doinn le fáil i Lámhscríbhinn an Niallaigh i gColáiste na Rinne, Co. Phort Láirge. Is léir gur bun-chóipeanna an Donnaigh iad, agus gur leaganacha slachtmhara

---

[4] Tá cnuasach den fhilíocht ó Cho. Thiobraid Árann a bhailigh Séamas Ó Braonáin agus Seán Ó Doinn á chur in eagar chun a fhoilsithe ag an eagarthóir.

díobh sin a scríobh sé níos déanaí atá i Lámhscríbhinní Prim. Is iad na téacsanna a bhfuil dréachtaí díobh sa lámhscríbhinn úd i gColáiste na Rinne, uimhreacha 2, 7, 8, 9, 10, 14, 20, 24, 26, 29, 33, 34 sa chnuasach seo.

Na Filí

Níl ainmneacha na gcumadóirí tugtha le cuid mhór de na téacsanna sna lámhscríbhinní, agus ní féidir a rá cad ba ainm don té a chum ar an ábhar sin. Fiú nuair a thugtar ainm an fhile, is léir gur beag eolas eile a bhí ag an mbailitheoir faoi de ghnáth. Seo thíos an méid eolais atá le fáil as na lámhscríbhinní agus as foinsí eile ar dhein an t-eagarthóir cuardach tríothu:

NIOCLÁS BREATHNACH: Ó Shléibhte an Bhreathnaigh ba ea é seo. Tá an tuairisc seo ag Seán Ó Doinn air:

> This Nicholas was an extraordinary man for his powers of keening. He was a living chronicle of all the family pedigrees in the adjoining districts of the ' three counties ', throughout which districts he was universally recognized as a professional keener. It was usual to despatch a messenger for him ' with horse, bridle, and saddle ' for his conveyance and an ' old guinea ' as his fee. On his arriving at the wakehouse there was a great stir and excitement among the people. He respectfully uncovered on entering, said a prayer or the Latin psalm for the dead, and then took his seat among the female mourners who surrounded the corpse and who in the dresses of the period had an imposing appearance amid the profusion of lights. Strangers standing without invariably mistook Nicholas's voice for that of a woman of great oreal powers, so mellifluous and pathetic was it in all the modulations of the song of sorrow—especially in leading the loud wail, in which all the females at either side took part at the concluding words of each stanza. On one occasion at Poulacapple two men were despatched on horseback, one towards the Walsh Mountains for Nick the Keener, the other to Kilcash for a famous female-keener. Both keened the deceased (Mr. John Laurence) at great length in alternate verses, bringing down the tears in hot streams from the hundreds within and without. . . . I doubt whether Nick the Keener had any fixed place of residence. On one occasion here it was at *Dún Feart* he was found, on another at *Gleannta* near Bennetsbridge, and at another time somewhere in the vicinity of the Walsh Mountains, but of which I am informed he was a native.

Deir an Donnach i nóta eile gurbh é Nioclás an Chaointeacháin seo an t-aon chaointeoir fir dar chuala sé trácht thairis riamh. Dhealrófaí as uimhir 20, líne 2 gurbh ó bhaile fearainn Gharraí na mBan, i bparóiste Cheanannais, é ó thús. Is é a chum uimhir **20,** agus caitheann Seán Ó Doinn an tuairim go mb'fhéidir gurbh é a chum uimhir **14,** leis. I 1772 a cumadh é sin. Sa dara leath den 18ú céad a bhíodh Nioclás i mbun a cheirde.

SÉAMAS Ó CATHAIL: Ó Chill Lamhraigh ba ea é seo. Tá an nóta inspéise seo a leanas ag Seán Ó Doinn air:

> James Cahill, when moved by the spirit of song, was accustomed to stretch at full length—face downward—on the soft fresh scented heath of *Drom Dearg* (Killamory Hill) and in that position commune with the rustic Muse. And, if successful, he would spring up in a rapture which the goddess could scarcely express.

Thaispeáin an Donnach uaigh an fhile seo i reilig Chill Lamhraigh do Prim sa bhliain 1848. Is cosúil gur go gairid tar éis 1832 a cailleadh é, mar go ndeir Seán Ó Doinn go raibh i gceist ag an gCathalach uimhir **8** a bheith ' a couple of verses longer, but he died before he had time to do so '. Is é a chum **7** agus **8.**

BEAN UÍ CHEARBHAILL: Bean ba ea í seo ó cheantar Ghráinseach Chuffe, a chum sleachta de uimhir **12** in aonacht le bean dar shloinne pósta Shearman. Sa bhliain 1767 a cumadh é.

MÁIRE NÍ MHAOLALAIGH: ' A respectable woman named Mary Mullally ' a thugann Seán Ó Doinn uirthi seo. Chum sí uimhir **13** anseo thart faoin mbliain 1799. I gCallainn a bhí ábhar an chaointe seo, Máire Ní Lanagáin, ag cur fúithi, agus b'fhéidir gur ar an mbaile sin a bhí cónaí ar Mháire Ní Mhaolalaigh, chomh maith. Bhí fear darbh ainm ' Michael Mullaly, baker, Green St. ' agus fear eile darbh ainm 'John Mullaly, innkeeper/publican, Green St.' ina gcónaí i gCallainn sa bhliain 1824 (*Pigot and Co's. Directory*, London, 1824), agus b'fhéidir go raibh baint aici le duine acu sin. Díol spéise is ea go n-úsáideann an Donnach an aidiacht 'respectable' ina leith, mar go raibh gaol aige le daoine dar shloinne Ó Maolalaigh. Ba shin-seanuncail dó ar thaobh a mháthar ' Jack Mullally, steward and manager at Leotaborough ' ar eastát mhuintir Scott. Is cosúil go raibh baint eatarthu seo agus muintir Mhichíl Uí Mhaolalaigh ó Bhaile Cuilinn, paróiste Chill Mheanman, Co. Thiobraid Árann. Dlúthchara le Seán Ó Doinn ba ea an Micheál Ó Maolalaigh seo, agus bhí mórspéis aige sa léann agus san fhilíocht (cf. *Foinsí na dTéacsanna* thuas).

Liam Ó Meachair: Ó Chúlach na Leac (nó 'Cúil Leacan') i
bparóiste na Cúlaí Móire ba ea é seo ó thús. Tá an méid seo le
rá faoi ag Seán Ó Doinn in alt ar an *JKAS* 3 (1854) lgh 8-9:

> In like manner did William Meagher . . . set out at an early age
> from the 'flags of Coolaugh', his native place, on a literary
> excursion through the hospitable counties of Munster, and return
> home after an absence of several years, loaded, both internally
> and externally, with all the Fenian lore of the province. He
> resided at this time in Killamory, where he soon acquired the
> reputation of being the best Irish scholar of the day in this part
> of the south of Ireland.

Ní miste cuimhneamh gur dócha go bhfuil moladh Uí Dhoinn air
mar scoláire beagán iomarcach, áfach. Tá an moladh sin bunaithe
cuid mhaith ar an leabhrán Fiannaíochta *Blaithfleasg na Milsean*,
a foilsíodh faoi ainm an Mheacharaigh i gCarraig na Siúire sa
bhliain 1816. Pádraig Ó Néill ó Ónaing a dhein an obair eagar-
thóireachta ar an leabhrán i ndáiríre, áfach (cf. *Éigse* 2 (1940)
lch 268), agus is léir gur dó sin ba cheart an cion is fearr den
mholadh a bheith ag dul. Tráth éigin nach fada roimh an mbliain
1819 a fuair an Meacharach bás (*ibid.*). De réir an Donnaigh, ba
mhac dearthár é le Liam Ó Meachair, tábhairneoir ó Thigh na
Naoi Míle, ar a dtugtaí an 'drawer'. Tá dán i scríbhinní Shéamais
Uí Bhraonáin a deirtear a chum an 'drawer' seo nuair a d'fhuadaigh
sé cailín darbh ainm Bríd Sweetman ó cheantar Cheanannais sa
bhliain 1710 nó 1711.[5] Is cosúil gur thart faoi 1730 a rugadh an
Liam atá i gceist sa chnuasach seo, mar gur chum sé uimhir **10**
thart faoi 1761. Is dealraitheach gurb é an 'William Meagher of
Ballydanny' é atá i gceist i nGníomhas de chuid na bliana 1812
(Gníomhas uimhir 491323). Tá an rann seo a leanas a bhailigh
an Donnach le fáil i Ls an Niallaigh i gColáiste na Rinne, agus is
cosúil gurb é atá i gceist ann:

> Mise Liam Ó Meachair, spreallaire de stré bhocht lag,
> Is gur thíos anso i gCallainn a chaitheann sé pnéamh 'á rath!
> Thá Rós i bhfearg liom, is fillfidh mé féin thar n-ais—
> Is, a Sheáin Uí Mheachair, ná bíodh fearg agat féin led' mhac!

---

[5] Beidh an téacs seo san eagrán d'fhilíocht ó Cho. Thiobraid Árann atá á
ullmhú—cf. fonóta 4.

Tomás Ó Muirithe: 'Bromach ina Mhaol' a thugtaí mar leasainm ar an bhfile seo. Deir Seán Ó Doinn gurbh ó Dhurlas é agus gurbh fhíodóir é. Tá an nóta seo aige air:

He frequented the Mullinahone district in his rambles, was a wild rakish son of the rustic Muse, fond of the drop, full of wit and humour, and a welcome guest at the peasant's fireside after the toils of the day. It appears he was well known at Windgap and in the neighbouring district of the Walsh Mountains. He spent some time in the Army, and on his return home to the loom and the scenes of early life he also wove into verses, now and again, a crimson thread or two in memory of 'the field of glory'.

Tá leaganacha bailithe ag Seán Ó Doinn agus Séamas Ó Braonáin d'amhrán a chum an Muiritheach faoina shaol mar shaighdiúir.[6] Is léir as an amhrán úd go raibh sé in Arm na Breataine sa chogadh sna hIndiacha Thiar idir 1794 agus 1798 ach gur cuireadh as an Arm úd é agus gur ligeadh abhaile é. Bhailigh an Braonánach, leis, an téacs d'iomarbhá fhada idir 'Bromach ina Mhaol' agus file ó Mhuileann na hUamhan darbh ainm Micheál Ó Laithearta.[7] De réir an Bhraonánaigh, 'Denis Murray' ba ainm dó agus ba ó Cho. Corcaí ó thús é. Deir sé gur pósadh i gceantar Mhuileann na hUamhan é ag deireadh an 18ú céad—tar éis dó filleadh ón Arm, ní foláir. Fuair an Donnach a chuid eolais siúd ó sheanduine mar cheartú ar thuairimí an Bhraonánaigh, áfach, agus is dealraitheach gur cirte a chuntas siúd. Is é a chum uimhir 22.

Pádraig Ó Riada: Rugadh é i mBaile na Móna, i bparóiste Sheireapúin, agus is sa taobh sin a chaith sé a shaol. Deir an tAthair Pilib Ó Mórdha faoi: 'He lived to the age of 84 years, and was an adept in Greek and Latin literature, while his compositions—in his vernacular language as well as in English—evince a degree of natural endowments which, if carefully matured, would have distinguished him as a poet of no mean ability and procured for him notice, patronage, and fame'. Deir an tAthair Ó Mórdha gur sa bhliain 1729 a rugadh é, agus d'fhágfadh sin gur in 1813 nó in 1814 a fuair sé bás. Chum sé uimhreacha 1 agus 19. Sa bhliain 1764 a chum sé uimhir 1.

[6] Beidh an téacs seo san eagrán d'fhilíocht ó Cho. Thiobraid Árann atá á ullmhú—cf. fonóta 4.

[7] Beidh an téacs seo san eagrán d'fhilíocht ó Cho. Thiobraid Árann atá á ullmhú—cf. fonóta 4.

[23]

DÓNALL RUA Ó RIAIN: Deir Seán Ó Doinn faoin bhfile seo: ' He was a native of the Co. Kilkenny and a great favourite amongst the peasantry as a favourite son of the rustic Muse '. Tugann an Donnach ' Dónall Dearg ' mar leagan eile dá leasainm, agus is deacair a rá an bhfuil bunús eile leis an leasainm seachas dath rua foilt. Chaith sé tamall in Arm na Breataine, agus is léir as uimhir **25** go raibh sé páirteach i gCogadh na hÍsiltíre sna blianta 1794-5. Deir Seán Ó Doinn gur éirigh sé as an Arm agus go mbíodh sé ag gabháil timpeall i ndeisceart Cho. Chill Chainnigh i ndeireadh an 18ú céad. Deir sé, leis, gur ghlac sé páirt in Éirí Amach na bliana 1798. Tháinig sé slán as an troid, áfach, mar gur in 1812 a chum sé uimhir **31**. Más fíor gurbh é a chum uimhir **28** (cf. na nótaí leis an dán), d'fhágfaí go raibh sé i mbun filíochta fós sa bhliain 1818. Chum sé uimhreacha **26** agus **27,** chomh maith.

BEAN SHEARMAN: Bean ba ea í seo ó cheantar Ghráinseach Chuffe, a chum sleachta de uimhir **12** in aonacht le bean dar shloinne pósta Ó Cearbhall. Sa bhliain 1767 a cumadh é.

SOMERS: Níl aon eolas tugtha ag Seán Ó Doinn faoin bhfile seo, ach amháin gur ' Somarach na nAmhrán ' a thugtaí air. Is léir gurbh ón gceantar thart faoin teorainn idir an dá chontae é. Bhí a bhean curtha i reilig Chill Bhríde, i bparóiste Challainn; agus ós rud é go raibh Máire Ní Lanagáin (ábhar uimhir **13**) i láthair nuair a tugadh os comhair cúirte é, is léir gur am éigin roimh an mbliain 1800 a chum sé uimhir **18** ar an mbruíon le linn adhlacadh a mhná agus ar lean í. Bhí ' Thomas Summers ' ag cur faoi i nGarraí Ricín sa bhliain 1828 (Deachuithe) le 13 acra aige, agus arís in 1850 le 20 éigin acra aige (Luacháil Griffith). Tharlódh go mba mhac don fhile é sin.

Ní miste a lua go bhfuil uimhir **11** curtha i mbéal Sheáin de Buitléir, an 17ú hIarla Urmhumhan, ach is beag seans gurbh é a chum. Maidir le huimhir **29** a bheith curtha i leith Thomáis de Paor, a bhí le crochadh, is dealraitheach nach bhfuil i gceist anseo ach an coinbhinsean amhrán a chur i leith duine a bheadh sa chruachás sin. Tá seans níos mó gurb é Séamas Breathnach féin a chum uimhir **30** faoin gcuma ar fhuadaigh sé bean, ach ní féidir a rá le cinnteacht. Maidir le Séamas Breathnach, cf. na nótaí le huimhir **30.**

[24]

Meadaracht agus Crot

Ní mór den fhilíocht liteartha atá againn ó Cho. Chill Chainnigh sna lámhscríbhinní traidisiúnta ón 18ú agus ón 19ú céad, agus is léir go raibh an traidisiún filíochta liteartha níos laige sa chontae ná mar a bhí i gCúige Mumhan. Fágann sin nár cheart dúinn bheith ag súil le mionchruinneas meadarachta i bhfilíocht an chontae sa tréimhse sin. Tá seo fíor go háirithe chomh fada is a bhaineann le filíocht neamhliteartha, agus filíocht den saghas sin ar fad beagnach atá sa chnuasach seo. Samplaí maithe den ghnáth-fhilíocht bhéil mar a bhí le fáil ar fuaid na tíre ag an am atá sna déantúis a bhailigh an Donnach agus an Braonánach. Sa chuid is mó díobh, is léir gur fhan an véarsaíocht dílis go leor don chuma ar ar ceapadh í agus í ag brath ar chuimhne an ghnáthphobail le fanacht beo. Tá eisceachtaí ann, ar léir go bhfuil mórthruailliú tagtha orthu (e.g. uimhir 12), ach níl iontu seo ach leaganacha den bhun-déantús ar tuigeadh go maith don reacaire agus don bhailitheoir araon nach raibh cruinneas ag baint leo. Ar ndóigh, fiú amháin i gcás na ndéantús is mó a bhfuil cuma an chruinnis orthu, ní féidir bheith lánchinnte nach bhfuil malartú focal nó malartú línte tagtha iontu agus iad ag taisteal ó bhéal go béal is ó cheann go ceann. Tá an difríocht idir géaga éagsúla den traidisiún béil rí-shoiléir i gcás na sleachta úd arbh fhiú leis an mbailitheoir nótaí a dhéanamh de dhá leagan díobh. Sampla maith de seo is ea uimhir 2.

An mheadaracht an tslat tomhais is fearr atá againn don chruinneas a bhain leis an tíolacadh béil i ngach cás faoi leith. Gheobhfar mion-chur síos ar an meadaracht nó na meadarachtaí atá in úsáid i ngach déantús sna nótaí ar an téacs sin, agus chífear gur minic a tháinig athrú ar fhocail aonair. Is dealraitheach nár tháinig athrú ar ord na línte ná ar ord na rann chomh minic céanna. Baineann fadhbanna ar uaire le hord na rann nach furasta a réiteach, áfach. Is féidir i ndéantúis áirithe go mbeadh rainn malartaithe ar a chéile ar chuid mhaith slite an fhaid nach scéithfeadh an mheadaracht orthu, agus is féidir rainn áirithe a bheith tite ar lár ar fad. Is léir go raibh cuid mhaith de na déantúis i bhfad níos faide tráth, ach nach bhfuil éirithe leis an gcuimhne nó leis na cuimhní sa chúlra iad a thabhairt slán ina n-iomláine. I gcásanna eile fós, theip ar an reacaire cuimhneamh ar fhocail nó ar línte faoi leith, agus b'éigean don bhailitheoir bearna a fhágáil sa téacs. Ní

[25]

féidir ach buille faoi thuairim a thabhairt ar ar dhócha a bhí i gceist sna cásanna sin, agus tá na bearnaí fágtha ag an eagarthóir mar atá siad sa lámhscríbhinn (in uimhreacha **13, 17, 19, 30, 34** a thiteann seo amach). Tá samplaí eile sa chnuasach de línte a bheith tite ar lár as an téacs—mar is léir ón meadaracht—ach ar dealraitheach nár thug an reacaire ná an bailitheoir é sin faoi ndeara (e.g. in uimhreacha **9, 18, 24, 34**). Ar an gcuma chéanna, tá breis línte curtha i véarsaí áirithe in uimhreacha **9** agus **33.** Sna cásanna seo go léir, tá glactha leis ag an eagarthóir go raibh aonaid nua neamhrialta ag baint leis an téacs in aigne an reacaire—bíodh is gur go cáiréiseach é—agus dá réir sin tá an téacs fágtha mar a bailíodh é. Níl aon choigeartú curtha isteach ag an eagarthóir ach amháin nuair is féidir an bhearna a líonadh as a bhfuil bailithe (uimhir **10,** líne 14), nuair atá an coigeartú atá le déanamh soiléir (uimhir **35,** línte 1, 14), nó nuair a dhealrófaí gurb é sin ba cheart a bheith ann ón gcaint thruaillithe (uimhir **18,** líne 14).

Tríd is tríd, is féidir a rá go mbíonn breis iontaofachta ag baint le déantús a bhí de ghlanmheabhair go maith ag an reacaire agus ar tháinig leis go héasca é a reic. Is féidir an méid sin a aithint uaireanta ar ghlaine agus ar chruinneas na cainte, agus fiú ar shlachtmhaireacht na lámhscríbhinne féin a léiríonn nár bhraith an bailitheoir aon easpa cruinnis. Thairis sin, ar ndóigh, is féidir an leanúnachas smaointe agus an leanúnachas téama a úsáid mar shlat tomhais, agus bíonn cabhair ghinearálta le fáil ón modh seo. Ar deireadh thiar, ní féidir bheith deimhneach go bhfuil an lámh in uachtar faighte ag eagarthóir ar an malartú is ar an athchruthú nuair nach bhfuil téacsanna comparáideacha ar fáil. Fadhbanna is ea an malartú agus an t-athchruthú a bhaineann leis an bhfilíocht bhéil i gcoitinne, agus ní eisceacht í filíocht bhéil Osraí ach amháin sa mhéid go raibh an teanga ag dul ar gcúl go mear agus meath dá réir ag teacht ar líon is ar bheachtaíocht na gcaomhnóirí traidisiúin inti.

Eagarthóireacht

Ós rud é gur canúint nach maireann a thuilleadh ar bhéil daoine atá i gceist, tá iarracht déanta leis an modh eagarthóireachta ar an méid agus is féidir de bhlas na canúna sin a chur ar fáil don léitheoir gan an deilbhíocht a chur ó aithint air. I gcás nárbh fhéidir foghraíocht na canúna a chur in iúl ar an modh sin, tá eolas le fáil faoi fhoghraíocht an fhocail nó na bhfocal sa roinn *Léamha na Lámhscríbhinne* de na nótaí ar gach déantús.[8] Baineann seo go háirithe le gnéithe den chanúint mar fhoghrú ' -idh '/' igh ' deiridh (balbh de ghnáth sa chanúint, ach le fuaim ' g ' ar uaire); ' bh '/ ' mh ' láir agus deiridh gan bheith foghraithe go minic; ' r ' caol foghraithe mar s'; foghrú ' ll ' agus ' nn ', idir leathan agus chaol díobh, mar ' l ' agus ' n ' (ach is cosúil go seasaíonn na leaganacha caola díobh go minic do *L'* agus *N'*); mar aon le leaganacha inspéise d'fhocail a bhfuil fadú agus défhoghrú i gceist iontu.

Seo roinnt gnéithe eile den chanúint atá léirithe sna lámhscríbhinní:

Foghrú ' adh ' deiridh mar ə sa bhriathar saor agus in ainmfhocail, mar əx san fhaí ghníomhach den bhriathar, agus mar əg san f haí chéasta den bhriathar;

Foghrú an ' f ' mar *h* i leaganacha den bhriathar san aimsir fháistineach agus sa mhodh coinníollach, viz. ' -f(a)idh ', ' f(e)adh ';

Foghrú an ' m ' mar chonsan leathan i leaganacha den bhriathar sa chéad phearsa iolra san aimsir láithreach, aimsir fháistineach, modh coinníollach, agus aimsir ghnáthchaite, viz. ' -imid ', ' -imis ';

Ciorrú ar an nguta sna forainmneacha ' mé ', ' tú ', ' sé ', ' sí ';

' Omh ' á fhoghrú mar leagan de *u:* de bharr neart srónaíle, agus ' ó ' roimh an gconsan ' n ' á fhoghrú mar leagan de *u:* ar an gcúis chéanna;

---

[8] Maidir le cur síos ar chanúint labhartha Cho. Chill Chainnigh, cf. Heinrich Wagner, *Linguistic Atlas and Survey of Irish Dialects*, Iml. 2 (Baile Átha Cliath 1964) lgh 60-4. Teaglaim atá anseo as tráchtas M.A. le R. A. Breathnach don Choláiste Ollscoile, Baile Átha Cliath (1939). Tá roinnt eolais faoi fhoghraíocht na canúna le fáil i Thomas F. O'Rahilly, *Irish Dialects Past and Present* (Baile Átha Cliath 1932) *passim;* agus in Ó Cuív, op. cit., *passim.* Tá cuid mhaith tagairtí inspéise d'fhoghraíocht na canúna le fáil, chomh maith, in Carrigan, *passim.* Cf., leis, *Éigse* I (1939) lgh 20-1, 276-80; *Éigse* 2 (1940) lgh 90-1; *Éigse* 11 (1964-6) lgh 107-11; *Fáinne an Lae* 1/7/1899; *An Claidheamh Soluis* 10/12/1910—agus 25/3/1911; *An Lóchrann*, Bealtaine 1911. Tá samplaí áirithe de Ghaeilge Cho. Chill Chainnigh ag Ricardus Henebry in *Phonology of Desi-Irish* (1898). Tá dán fada ag caoineadh an Ath. Éamonn Caomhánach, sagart paróiste Bhéal Átha Ragad a d'éag sa bhliain 1764, i gcló ag John O'Donovan i *JKAS* 4 (1856-7) lgh 118-43. An tAthair Séamas Ó Leathlobhair a chum an caoineadh úd, agus tá canúint Osraí le haithint go soiléir ar chodanna de.

Díghlórú ar an gconsan san aidiacht shealbhach ' do '
roimh ghuta;
Foghar leathan ar an gconsan ' s ' in aidiachtaí taispeánt-
acha nuair a chríochnaíonn an t-ainmfhocal rompu le
consan caol, viz. ' an áit seo '. Ar an gcuma chéanna,
foghar leathan ar an gconsan ' s ' sna leaganacha treise
d'aidiachtaí sealbhacha nuair a chríochnaíonn an t-ainm-
fhocal rompu le consan caol, viz. ' ar mo láimhse '. Ní i
gcónaí a leantar an nós seo sna lámhscríbhinní, áfach, agus
is beag amhras ach gur claochlaitheacht i gcáilíocht an
chonsain ' s ' idir leithne agus chaoile atá i gceist;
An foghar t' curtha le deireadh leaganacha den bhriathar
sa chéad agus sa tríú pearsa iolra, modh coinníollach agus
aimsir ghnáthchaite, viz. ' -imis ', ' -idís ';
An guta cúnta idir consain de réir nós na Mumhan;
Úsáidtear foirm an tuisil ainmnigh go coitianta sna lámh-
scríbhinní in ionad an tuisil ghinidigh san uimhir iolra,
agus is cosúil go raibh seo coitianta go leor i nGaeilge an
chontae ag an am. Tá foirm ghramadúil an ghinidigh
curtha isteach ag an eagarthóir sna téacsanna anseo.
Baineann fadhb le sampla atá in uimhir **13,** líne 2, mar a
dtagann leagan an ainmnigh leis an meadaracht (' Máire
Bhán na gcuacháin gheala ')—tá ' na gcuachán geala '
curtha sa téacs ag an eagarthóir anseo. Tá fadhb den
saghas céanna ag baint le huimhir **6,** líne 6, agus uimhir **33,**
líne 30, mar a bhfuil ' togha na bhfearaibh ', ' i mbarra
géagaibh ' againn. Tá gá leo sin arís ó thaobh na meadar-
achta. Foirm an tabharthaigh in úsáid mar fhoirm an
ainmnigh is ea iad, agus is in ionad gramadúil an ghinidigh
atá sí.
Tá foirmeacha áirithe neamhghnáthacha gramadaí le tabhairt
faoi deara sna téacsanna, agus ós cosúil gur tréithe den chanúint iad
fágadh mar a bhíodar iad. Ar na samplaí is suntasaí tá ' gur
mb'óg ' (uimhir **30,** líne 22) agus ' inar dtáinig ' (uimhir **7,** líne 49).
Is dealraitheach as na samplaí sin go raibh an claonadh ag na
foirmeacha den fhorainm coibhneasta in ' a ' agus ' ar ' titim le
chéile. Tréith inspéise eile den chaint sna téacsanna is ea an fhoirm
' inar ' (uimhir **7,** líne 49; agus uimhir **35,** líne 28) in ionad ' ar ' don
fhorainm coibhneasta. Sampla d'athchrot a bheith curtha ar fhocal

de bharr thúschonsain shéimhithe is ea ' le n'fháil' (uimhir **33,** líne 106), mar a bhfuil glactha leis gur ' áil' atá sa bhunfhocal seachas ' fáil'.

Maidir le nósanna ginearálta eagarthóireachta, tá na treoracha seo a leanas leanta i gcur ar fáil na dtéacsanna:

Tá an cónasc ' acht' sna lámhscríbhinní scríofa mar ' ach'— gnáthfhoghraíocht na canúna;

Tá an réamhfhocal ' chum' sna lámhscríbhinní scríofa mar ' chun'—ba é a bhí i ngnáthfhoghraíocht na canúna *xu:n;*

Tá an réamhfhocal ' re' le fáil ar uaire sna lámhscríbhinní—gnáthfhoirm na canúna ' le' atá úsáidte ag an eagarthóir;

Maidir leis an réamhfhocal agus an forainm réamhfhoclach ' faoi', fágtar leaganacha na lámhscríbhinní sa téacs tríd is tríd, viz. ' faoi', ' fá', ' fé'. An fhoghraíocht ba choitianta sa chanúint, de réir dealraimh, ba ea *f'i:;*

Tá ' sé', ' sí', ' siad' na lámhscríbhinní (don chopail + forainm) scríofa anseo de réir nós an Chaighdeáin Oifigiúil mar ' is é', ' is í', ' is iad'. Ar ndóigh, is ceart iad a fhoghrú mar *s'e:, s'i:, s'iəd;*

Tá an réamhfhocal ' i' scríofa mar ' a' de ghnáth sna lámhscríbhinní. Scríobhtar anseo é de réir an Chaighdeáin Oifigiúil, ' i';

Tá na gutaí báite curtha isteach arís sna téacsanna, ach amháin nuair is ar mhaithe leis an meadaracht seachas de bharr ghnáthdhul na cainte atá siad báite;

Ní chuirtear na consain bháite isteach nuair a cheilfeadh sin deilbh nó foghrú an fhocail sa chanúint nó sa téacs ar an léitheoir.

Tá gnéithe éagsúla d'fhoghraíocht na canúna nárb inmholta iad a shainléiriú sna téacsanna de bharr bhaol na doiléireachta, agus ní foláir féachaint sna nótaí le gach déantús chun teacht ar an eolas fúthu sin. Ar na gnéithe atá i gceist tá cáilíochtaí na ngutaí idir ghairid is fhada dóibh, agus cáilíochtaí consan i suímh áirithe.

Buíochas

Táim buíoch do Cheann Roinn Bhéaloideas Éireann, an tOllamh Bo Almqvist, as cead a thabhairt an t-ábhar as lámhscríbhinní na roinne úd a fhoilsiú. Táim buíoch, chomh maith, do bhainisteoir Choláiste na Rinne, Micheál Ó Domhnaill, as cead sleachta as lámhscríbhinn sa choláiste sin a fhoilsiú. Táim faoi chomaoin ag foirne na n-institiúidí seo a leanas a chabhraigh liom agus mé i mbun taighde do na nótaí: Roinn Bhéaloideas Éireann, Leabharlann Náisiúnta na hÉireann, An Oifig Thaifead Poiblí, Oifig na bPáipéar Stáit, Oifig na nGinealach, agus Cláılann King's Inns. Roinn na daoine seo a leanas a gcúnamh go fial liom ar shlite éagsúla: an tOllamh Tomás de Bhaldraithe, Stiofán Ó hAnnracháin, An Dr Caoimhín Ó Danachair, An Br Liam Ó Caithnia, an tAthair Piaras de Hindeberg, Éamonn Ó hÓgáin, Pádraig de Brún, Tomás Ó Céilleachair, Éamonn Ó Flaitheartaigh, Seán Ó Braidlí, Séamas Stewart, agus an tOllamh T. P. Ó Néill. Tá focal faoi leith buíochais ag dul do Roibeard Ó Ceallaigh agus Daonscoil Osraí as mé a spreagadh agus a bhrostú chun na hoibre, agus do mo bhean chéile Caitríona as a foighne agus a fadfhulaingt agus mé i mbun an tsaothair. Aon easpa nó locht atá ar an leabhar, mé féin is cúis leis sin.

COIMHLINT AGUS COMHRAC

1

BUALADH BHAILE ROIBÍN

Pádraig Ó Riada

Lá Fhéil Michíl an tórraimh aige doras tigh an ósta
Is ea a tháinig an gleo ar na fearaibh—
Do ghoil mé le borrthaibh, agus cling mharbh in mo chluasa,
4   Nuair a tháinig chugham tuairisc go rabhadar marbh!

In sráid Bhaile Roibín is ea a treascradh anmain
Agus tá a muintir go dubhach dá néalaibh,
Tá an namhaid go tréan ag fiach gach n-aon
8   Ó buadh leo bualadh an lae úd.

Nuair do thánaíos ann san oíche is ciúineas do bhí againn—
Ní raibh mórán ban caointe ann ná carad—
Gur shuigh mise síos ann ar bhuachaill an mhínis
12   Agus do ghoil mé gan scíth air go maidin.

A Phádraig, mo chiallach, m'ochlán tú i mbliana
Ós tú an buachaill ná staonfadh lá an chogaidh—
Gur fhan tú ag stialladh agus ag ropadh gach diabhail díobh
16   Gur dearnadh do chliabh geal a pholladh.

Is é Scoireadh d'fhág go dubhach mé, agus Diarmada an
      t-úrsa-fhear,
Agus an buachaill mín múinte de shíol Cheallaigh,
Agus dá liacht ógánach súilghlas a bhí ag seasamh na cúise—
20   Ach gur measa liom an triúr úd ná ar cailleadh!

Is é Pádraig an suaircfhear ná staonfadh lá an bhuailte
Ná chun na *Light Horse* a ruagan as an bhfaiche,
Ach dá dtroidfeadh gach buachaill mar Dhiarmada uasal
24   Do bhí an *sway* go Lá an Luain leo chun catha.

c

Is é mo chreach agus mo chráiteacht iad a bhualadh amach
    Dé Sáthairn,
Is é mo chumha nár ráinig leo filleadh—
Is é Risteard an sárfhear, agus an marcach breá Pádraig,
28   Agus Micheál caoin grámhar Ó Scoiridh.

A Mhichíl, is díth liom do mháthair ad' chaoineadh
    Agus do chéile a bhí ag luí leat insa mbarrach—
Tagann osna in mo chroí istigh agus atuirse tríotsa
32   Mar ba bhráithrín fogasghaoil tú agus cumainn!

A bhráithrín gan aimhleas d'ardshliocht na tíre,
    Buachaill gan mhíghean gan ghangaid,
Brainse den bhfíorfhuil nár mheata lá an choimheascair
36   Do fásadh as fíorscoth na mBreathnach!

Guígí-se, a chomharsa, agus guíodsa lem' dheoraibh
    Trí gach lúbaire d'ar leonadh insa chathaadh
Lá Fhéil Michíl an tórraimh aige doras tigh Sheoirse—
40   Agus Rí geal na glóire dá nglacadh!

Is é mo chreach agus mo mharbh mar do leagadh chomh
        luath é,
    Ós é a bhainfeadh fuaim as na cloiginn!
Gurb é a déarfadh na sluaite le fear an bheist uaithne
44   Go mb'iontach leo mar do bhuailfeadh sé an buille!

Guímse galar agus tuirse chun gach scraiste agus ruaille,
    Is nár thuga siad lúth leo ná misneach!
Ach dá seasódh ár gcúnamh gan staonadh ná súchan
48   Ní raghadh aon duine den trúpa beo don Charraig!

Is é an t-Aidhleartach uasal a bhíodh i dtosach an tslua
        amuigh
    Gur dh'iontaigh sé thart tuathal chun catha—
Ach dá dtroidfeadh gach buachaill mar fhear an bheist
        uaithne
52   Bhí an *sway* go Lá an Luain leo chun catha.

[34]

Nuair do traochnaíodh na *troops* is ea do dh'éalaigh an triúr,
  Agus do dh'fhág sin faoi chumha go bráth sinn—
Triúr acu a bhí gan áireamh, cúigear ar bhruach báis díobh,
56   Agus ochtar faoi chlár i gCill Chainnigh!

D'iarradh na bránna go múinte ar an Sáirsint,
  Is é a dúirt sé nár mhaith leis gan leagan—
Ach dá nglacfaimist comhairle gan na gunnaí a thabhairt
      dóibh sin
60   Go brách bhí an lámh uachtarach aige Baile Roibín.

Ní chreidfinnse ón Phápa, ó shagart ná bráthair
  Go bhfuil an Francach nó an Spáinneach ina mbeatha—
Ach níl cabhair dá n-áireamh, agus nár thóga Dia slán iad!
64   Nó an trua leo na Fir Bhána dá leagan?

Tá mo shúilse le Máire agus ar chuaigh uainn thar sáile
  Go mbeimidne lá éigin faoi ghradam—
Ár gcampaí go láidir, agus *Light Horse* dá gcarnadh
68   Agus 'hurú' aige Fir Bhána á dtreascairt!

[35]

2

BÉAL ÁTHA RAGAD

I gContae Chill Chainnigh is ea a rinneadh an t-ár go léir
I mBéal Átha Ragad in aice na Feoireach tréin',
Mar a mbíodh an breac insa ghaise, is an lon dubh ar
    bharr na ngéag,
4 An chuaichín ag casadh, is an eala ag snámh go séimh.

A Bhéal Átha Ragad, is ortsa athá an saol ag trácht—
Is é guí gach duine gan tusa a dh'fháil cabhair na ngrás
Mar gheall ar an chasair do rinneadh dhá uair roimhes an lá
8 Ar na buachaillí geala a bhí ag feitheamh le cabhair a dh'fháil.

Nuair a dh'éiríos ar maidin ba dhealbh is ba dhubhach
    mo scéal—
Mná is fearaibh ag screadaigh, ag liú is ag éamh;
Thá na réalta faoi scamaill, níl taithneamh sa ghrian mar
    do bhí
12 Ó leagadh na fearaibh a chealg go mór ár gcroí!

A bhuachaillí bána, mo ghrá sibh, is preabaigí arís,
Is déanaigí áthas ins an áit ar chailleabhair bhur mbrí!
An fiabhras dearg is gach amaill dá ngabhann an tslí
16 Go dtite fá mhaidin insa mbaitheas ar *Hewetson* bhuí!

A Aon-Mhic Mhuire, ar dh'fhulaing tú féin an Pháis,
An bhfeiceann tú na Gallaibh ag seasamh is a ngunnaí ina
    láimh,
Ag síorthabhairt tarcaisne do bhanaltra an Uain ghil bháin—
20 Is gan a céad míle beannacht níl flaitheas Mhic Dé le fáil?

I mBéal Átha Ragad do leagadh na buachaillí groí
A bhí lúfar seasmhach meanmnach, lán de chroí;
Thá siad sa mbaile is iad marbh ar gcúl a gcinn,
24 Is gan aon rud a bhaint duitse, a *Hewetson* bhuí!

I mBéal Átha Ragad thá fearb is fíorthann ag fás,
Is fuil na bhfearaibh ag screadaigh chun Rí na ngrás!
Bhí an solas á lasadh is na Gallaibh in íochtar á lámhach,
28 Is na buachaillí geala ag seasamh gan díon ná scáth.

Lá na Cruinne nuair a bheimid ag díol an chíos'
Beidh gníomhartha gach duine scríobhta i gclár éadain síos—
Nára trua leis na haspail do chorsa, a *Hewetson* bhuí,
32 Ó dhiúltaigh tú Muire thá an tubaist i lár do chroí!

A Mháire, glac ciall, ná bíodh ciach ort trí thamall beag
     bróin—
Beidh *Hewetson* ag an diabhal ar iarann ceangailte fós;
Oscar na bpian á stialladh is á loscadh go deo;
36 Is a chnámhanna ag an bhfiach, agus a bhléan á creimeadh
     ar an ród!

I mBéal Átha Ragad thá an cailín beag grámhar caoin
A dhéanfadh dom faire is mise go suain im' luí:
' A Sheáin, preab id' sheasamh, déansa go luath do shlí—
40 Thá capaill an airm ag teacht anso trí leacaí! '

I mBéal Átha Ragad 'thá an cailín beag grámhar séimh
A dh'éirigh go tapa, is do dh'imigh a ród léi féin:
' A bhuachaillí bána, mo ghrá sibh, is casaigí arís—
44 Thá an *slaughter* á dhéanamh, mo chumha, insa sráid seo
     thíos! '

A Bhéal Átha Ragad gan chaise gan bhá gan ghreann,
Thá an gáirfhiach ag screadaigh, is mol macha go dubh
     os do chionn;
An Fheoir ag rith dearg, is a chrannaibh gan ceol na n-éan,
48 Drochghaoth ann is gailfean, is na coiligh is dubhach é a nglao!

Liomsa níorbh ionadh 'á loscfadh an ghrian an t-aer,
Ná an ghrian nó an ghealach a dh'fheiscint le saol na saol,
Tríos na fearaibh do leagadh gan choir gan chúis, mo léan—
52 Ach is minic do fealladh ar chlanna bocht' cráite Gael!

[37]

3

PRÉACHÁN CHILL CHAINNIGH

Is é do bheatha abhaile chughainn—
Is fada sinn ag trácht ort!
An dtug tú scéalta maithe leat
4 Abhaile chughainn ó Pháras?
'Bhfuil Bonaparte go seasmhach,
Nó an bhfuil a thriall thar caladh chughainn?
Is é a thabharfaidh an sciúrsáil ghreanta
8 Don aicme úd a chráigh sinn!

Is é a chloisimse gach maidin
Insa bhaile mór so láimh linn
Drum is *fife* á ngreadadh acu
12 Ag cuir eagla ar ár ngardaí.
Dá mhéid lucht cótaí dearga,
Nuair a thiocfaidh lá an chatha
Raghaimid leo in achrann
16 Gan dearmad an lá sin!

Is é a deir na seanaí feasach
Ó Chnoc Gréine go Sliabh Arda:
' Is comhartha é gan dearmad
20 ' Gur caraid dúinn na h*Ormondes*—
Is Gaelach anois na Gallaibh
Do tháinig i dtús thar caladh! '
Is thá sé insa tairngire
24 Go mbeadh nead agat san áit sin!

4

BUALADH ROS MHIC THRIÚIN

'Dén trácht athá ar na fáidhí ar Shliabh na mBan
Ná triallann siad aniar chughainn in am tar lear?
Mar ba dhen chliar iad ná fiarfadh—'bhí dílis ceart—
4 A stróicfeadh airm Sheoirse le faobhar neart sleá.

Thá Bonaparte ins an Eadáin is a fhórsaí tréan,
An tImpire go lagbhríoch agus a dhlí gan réim—
Thá buaite air mar do chualas insa *news* dá léamh,
8 Agus a fhórsaí le fóirneart go bráth faoi chréim.

Is dá mbeadh long agam faoina hancaire ina luí chois trá
Do thriallfadh ina ndiaidh siúd 'on bhFrainc nó 'on Spáinn
Ag cuir tuairisc' na mbuachaillí ba airde cáil
12 'Bhíodh go tréan ar Chnoc Fiodh na gCaor nó ar shliabh
le cáil. . . .

An cúigiú lá don bhFéil Seáin is ea a bhí an *news* dá léamh—
I Ros Mhic Thriúin bhí an cath ar siúl is neart lámhach
piléar;
Bhí clanna *Luther* go tinn dubhach i dtúis an lae,
16 Is gur treascradh na fearaibh groí le dúil sa mbraon!

5

THÁ AN SAMHRADH CAITE · · ·

Thá an samhradh caite, is ní gan fhios dod' mháithrín é,
Ná dod' athair ag tarraingt an ród go tréith—
Deich míle is daichead gan capall a shiúlfadh fé,
4   Fá dhó insa tseachtain gur briseadh a chroí ina chléibh!

Mo chumha is mo mhairg nach go Talamh an Éisc a chuais,
Nó go *Boston*, is fuireach led' shaol ann uainn!
Is é do chráigh tú leis an aicme gan chumann gan mhéin
        ó thuaidh;
8   Is nuair a fuaireadar fá ghlasaibh tú abhaile gur éalaigh
        uait.

I bpríosún má cuireadh tú, a chumainn, ná bíodh ort cás—
Coir í ná casfar led' leanaí tar éis do bháis.
Bó ná capall níor ghoidis, uan ná caora bhán—
12   Is achainímse ar Pheadar tú a chasadh chughainn saor
        ón mbarr.

Is é mo chumha is mo thuirse nach i gCill Chainnigh thíos
        atáir,
Nó i gCluain Meala mar a gcloisimis uait gach lá,
Seachas i bPort Laoise faoi ghlasaibh gan furtacht, faraoir,
        le fáil—
16   I ndínsiúinín daingean is arm an Rí ad' ghardáil!

[40]

6

BUACHAILLÍ AN BHEALAIGH

A bhuachaillí an bhealaigh, nár chaille sibh lúth bhur
    ngéag
Chun rátaí do leagadh ar mhná bainne is rúcaigh léir—
Do thógfadh na hairm gan eagla, gá ná baol,
4 Is ná hineosfadh don talamh ar maidin cár gabhadh aréir.

Mo bhrón, mo dheacair, mo dhainid, mo chumha, mo léan,
Togha na bhfearaibh dá gceangal go dlúth le téad,
Dá seoladh thar farraige i bhfad óna ndúiche féin
8 Is gan súil lena gcasadh ar maidin go bráth thar n-éis.

Thá buachaillí an bhealaigh go hatuirseach cráite acu—
Á dtógaint dá leaba faoi achtanna dúbailte.
Ní lú liom tigh an leanna ná labhairt ar chleamhnasa,
12 Is an comhrá a bhí eadrainn—má mhairir bí im' theannta
    anocht!

Is, a bhuachaillí an bhealaigh, is é an chomhairle a bheirimse
    dhíbh
Tigh an tábhairne do sheachaint, is feasta diúgadh na dí.
Tá ár naimhdí in aice, is gur gairid uaibh bliain a trí,
16 Is go mbeidh siad súd gearrtha shara dtiocfaidh an fómhar
    arís.

Thá bliain a trí in aice, is gabhaimis d'ár n-airm anois
Chun feallairí Chromail do ruagadh trí ghleannta is cnoic—
Ós iad súd an aicme nár ghéill ariamh don Chrois,
20 Ná don teampall a ceapadh i bParthas naofa istigh.

Thá na sagairt gan aiteas ná fonn sa tsaol,
Is 'réir mar a mheasaim níorbh ait leo talamh a bheith daor!
Ó, na sárfhir cheannasacha ar chleachtadh leo dúil sa gcléir
24 Ag gardaí go daingean, is a gcaraid go dubhach ina ndéidh!

CARRAIG SEAC

Is fada athá deachuithe ag cealg ar Ghaeil bhocht—
Cé gur crochadh na céadta 'á ndeasca gan abhar—
Ón am inar ceapadh an bheatha ar an gcléir úd
4   Nár dh'ordaigh Mac Dé dh'aoinne dá sórt;
Ba ard é a rachmas i ngradam faoi réim,
Ar eachanna caol donna ag triall ar gach spórt,
Nó gur tharla leo an tarbh ar thalamh Chill Chéise
8   A leagfadh na méithphoic 'á bhfaigheadh dul ina gcomhair.

I gCill Chéise athá an tarbh—is is fada é á dh'aoireacht—
Is 'á ngeobhaidís go réidh thairis go léigfeadh sé dhóibh,
Ach gur shíl sé gur leagadh air aicíd ós na spéartha
12   Nuair a chonaic sé na géarchoin ag tarraingt ina chomhair!
Bhuaileadar cloig is phreabadar Gaeil bhocht—
A raibh ó Bhaile Héil go Carraig an tSnámha—
Is 'á mbeinnse ar an bhfaiche a raibh an treascradh á dhéanamh
16   Bheadh fios in mo véarsa 'dén fear díobh ab fhearr!

Beidh parlaimint feasta aige Ó Conaill in Éirinn—
Caithfeas na tréanphoic seo géilleadh 'á ghlór!
Leagfaidh sé fearannta fairsinge ar Ghaelaibh,
20   Is cuirfeas sliocht Éibhir ón réal go dtí an choróin;
Beas aige *Hamilton* treascartha créimeach—
A theampall dá réabadh le saorthoil dá namhaid—
Is gach pílear buí smeartha a thug a anam ón scléip leis
24   Ní raghas go Cill Chéise ag déanamh aeir ann go deo!

Chuaigh scéal ar an mbualadh thar na tonnta taoscach'
Go Talamh an Éisc agus go Sasana Nua
Gur ídíodh an aicme a bhí ag creachadh na nGael bocht—
28   Is ná tugaí iontaobh le haon díobh níos mó!
Éirigí i bhur seasamh agus nochtaigí bhur gclaíomh—
Bíodh príosúin dá réabadh agus géarghlais ar lúth—
Agus scaoiligí abhaile fearaibh Chill Chéise,
32   Agus ná ligí aon aon díobh a dhaoradh insa chúirt!

Léifead díbh feasta *barracks* na méirleach
   Cill Lamhrach a haon díobh, is Leacht Breac a dó,
Bearna na Gaoithe is Ceanannas aerach,
36   Agus Callainn an aonaigh mar a mbíodh acu spórt,
Cill Mogeanna agus Baile an Phoill cumhra,
   Baile Hugúin agus Móin Choinn ina ndeoidh—
Is i gCarraigín Seac a bhuail codladh gan dúiseacht
40   Aicme seo Liútair—is ní brón linn a ngleo!

Beidh Baile an Phoill feasta in easpa gan adhmad
   Ó cuireadh an méirleach den tsaol so go deo
Lena thuataí geala a ghearrfadh go faobhrach—
44   Ach geallaimse gur maolaíodh na hairm sa ghleo!
Aoinne agaibh feasta ná tuigeann crua-Ghaeilig,
   Cuirfeadsa i gcéill díbh brí-éifeacht mo sceoil—
Le hathrú na teanga agus casadh ar an mBéarla
48   Gur *hatchets* a ghlaofainn gan bhréig ar mo namhaid!

Inar dtáinig de bhuachaillí bána agus uaithne
   Ó aimsir Rí Séamas níor ghéilleas dá nglór,
Gur chuala mé an treascairt a thugadh don *Major*,
52   Agus Flaitheas Mhic Dé go bhfaighe Seán an buailteoir!
Bhí *Baxter* ann sínte, *Prescott* agus *Eagan*,
   Is fear na *citations* ag tréigean an tsnó,
Budds—an cneamhaire—gur sáthadh é le *bayonet*—
56   Is le háthas an scéil seo bímidne ag ól!

OÍCHE NA dTINTE CNÁMH

Oíche 'á rabhas go fannlag im' aonar
I ngleanntán sléibhe agus mé le fán,
Agus gan de leaba fúm ach drúcht is féar glas—
4   Ach ba ghearr gur réidhigh Mac Dé mo chás!
Phreab mé suas le buairt trím' néalta—
Bhí *drums* á bpléascadh is *buglers* ard,
Is iad á insint le grinn dá chéile
8   Go dtáinig na tréinfhir seo saor ón mbás.

Is fada an sciúirse is an smúid ar Éire,
Is cá'il an té úd a phléigh an cás?
Gur dh'éirigh Dónall is údair léannta,
12   Agus ní foláir ina dhéidh nó beidh Gaeil go sámh!
Ní bheidh an tsraith teampaill le deabhadh á éileamh;
Beidh suaimhneas is deá-thoil, greann is meidhir;
Is beidh an deachú iomaire ag lucht an tsaothair,
16   A chontae na déise, in do ghleannta saibhir!

Ní mire cú a rithfeadh ar thaobh cnoic,
Ná sneachta gléigeal á shéideadh ar bhán,
Ná oíche an adhmaid 'bhí á roinnt le féileacht,
20   Níor rith chomh héascaidh leis na tinte cnámh!
Ní raibh cnoc ná coill im' radharc sa réim úd
Ná raibh sop á shéideadh agus réabadh ar fál
Ag tabhairt fios feasta don óg is aosta
24   Gur bhuaigh Oíche Fhéil' Séamais ar Oíche Fhéil' Seáin!

Is dá gcuirfeadh sluaite Chaiseal Mumhan linn
Bheadh *Hunt* ina dhiúic againn ar Chúige Laighean—
Mar ba dh'é an chabhair chontae a chuir le Dónall
28   Chun lucht an chomhraic a thabhairt ón ngreim.
Nár dh'é an scanradh iad a bheith i dteannta,
Faoi dhlithe cama, gan chúis gan abhar!
Is an fhaid 'thá ár ndaoine faoi dheachú cloíte,
32   Is an Teampall Gallda saibhir go leor!

[44]

CÚIL BHREACA AN CHLÁIR

Thá an Fhéinn seo ag preabadh arís,
Is ag caitheamh na bhfód dá gcroí—
A dhéineadh seasamh ceart agus dlí
4   Insa tír seo mar ba ghnáth!
Nín aon spreota dhíobh
'Thá mursanta insa tír
A bhfuil a sparán líonta aige
8   Gan fuíoll ina lár;
'Thá ag déanamh talún daor
Is ag déanamh creach ar bhuíon—
Dá gcuir le fán an tsaoil
12   Choíche is go bráth.

Geallaim dóibh go deimhin
Má bhriseann siad an dlí
Go mbeidh siad seal dá chaoi,
16   Go mbeas an Fhéinn seo ag leagan creach gan scíth
Go binn ar a gcnámha!
Níorbh aon rud Cluain Uisneach,
Ná Doire Cholmcille,
20   Ná Caisleán Chille Cainnigh—
Ós ann do bheadh an t-ár—
Ná Béal Átha Luain mar a thuigim
Ós é a sheasaigh bualadh is fichid.

24   Thá láidir tréan a bhfoireann
Nár cloíodh ariamh is nár briseadh
Ach ag déanamh concais dá namhaid!
Ná fós dá ndéarfainn tuilleadh—
28   An Chloch Liath ba chróga a bhfoireann—
Is gur neimhní iad so uile
Seachas Cúil Bhreaca an Chláir!

Séarmus Breathnac ó'r na Sléibte Breathnac

I

A&r mo ṡcóbalt dom do droicioḋ na Trápa
Ir me ag lorgaḋ mo ṡtráipt cáilín,
Carag liom cnap tiġe an váignear
Gan teácḃ braon nrar an ná nior;
Bi Polly agrf a mam go h-váigneáċ
Air leaba mbrn ṡráinnear na tiġe
Agr liom ṡtáirriġeáċḋ grp mear me i ḋ[ráḋa
go ḋi gcóirreóġán a g-craca le ṡior.

II

Girreḋar trápirg na béiċ,
Agrf leanaḋar mo féin air mo bon,
Ṡrapaḋar mo trápirg o gá haon'e,
Go ḋi tánzaḋar taob liom mar a pábar,
Ṡrab me am feaṡáin ir léim me,
Agrf láinriġeár mo ċaol eaċ breag ḋon
Ir na rarb don Cápal a riam aga ġáolta,
Do béarḋáċ air Séarmur na ḋrom.

III

Gán deáirmáḋ fé'n cálair,t do ṡnáin ṡé,
Go tápaḋ táir balla trg léim,
An ftáil do báir a g-crioċ ṡóḋla,
Agrf an Márcáċ brḋ leónta an a ḋrim,
Ṡrab a ámḋear crin cáilce táir teóra
Ge go mearáin grp m.óg i mar rinnáoi,
Raiḃ lapáḃ na leacca mar rories
Agrf an liga tr an t-óg feair a ċláoiḋ.?

Sampla de lámhscríobh Sheáin Uí Dhoinn

GRADAM AGUS CAOINEADH

10

AMHRÁN DO SHEÁN ÓG BUILTÉAR

Míle fáilte romhat thar sáile go hÉire,
Sláinte na féile gan mhaíomh!
In ard-chléire tharla Builtéaraigh
4   A fuair tásc i gCríoch Éibhir gan mhoill.

An seabhac álainn a thabhairt sláinte agus saol duit!
Ní náir liom tú a théacht is tú a mhaíomh;
Is go bhfuil an t-ádh leatsa, Seán Óg Builtéarach,
8   Ní gá dhuit bheith gan chéile agus maoin.

Is buartha a bhí uaisle faoi scamall
Ó ghluais uainn an marcach thar triúch,
Gur dh'fhill chughainn ár ngroí-fhear breá abhaile
12   Ba bhinne ina dhealbh is ina chlú.

An flaith meidhreach, ba ghrianach a dhearca,
Ba bhinne le taitneamh dá ghnúis—
Nach aoibhinn don chríoch ar ar casadh
16   An bhuíon úd abhaile go subhach?

Nuair a mhúscail ár Naoise breá Gaelach
Ar dteacht chughainn go hÉirinn ón bhFrainc
Bhí geamharaí ina bhfómharaí, agus féar glas,
20   Drúcht agus bláth gléigeal ar chrainn.

Bhí an tSiúir ag barr-bhrúchtaíocht le héascacht,
Gach abhainn eile ar laodaíocht insa chríoch
Le móráil do ógfhear na scéimhe—
24   Sleá óg na mBuiltéarach gan fuíll!

D

CAOINEADH DON BHANTIARNA BHUILTÉAR

A bhean uasal, thá tú go huaigneach ansin leat féineach—
Ba mhaith tú ar pointe chun cás na ndaoine a réiteach;
Thug tú ór buí dhóibh is airgead gléigeal,
4 Is chomhad tú ina seasamh iad ina dtithe féineach
Is murach do fheabhas chaithfidís imeacht thar na farraigí
caemhthach!

A bhean uasal, ba fhuras tú as do mhaithghníomhartha
féineach—
Bhí tú carthannach tuigseanach daonmhar;
8 Bhí tú trócaireach do gach aoinne—
Is dainid don chomharsain is don dúiche le chéile,
Mar ba bhean tú a chuir Dia ar an talamh chun an mhaith
a dhéanamh!

A bhean uasal, mo bhrón mar a scar tú liom ar aon chor,
12 Is le Garraí Ricín, an áit bhreá aerach
Inar thóg tú do chlann le mórchuid pléisiúir—
Tiarnaithe breátha is *ladies* sciamhach—
Na h*Ormondes*, an *family* b'fhearr a bhí in Éirinn.

16 A bhean uasal, 'á mbeifeá i nGarraí Ricín mar a bhí tú cheana
Dhéanfá cabhair don mbaintreach is don té a bheadh
dealbh—
Thabharfá síol dóibh a chuirfidís insa talamh;
Thógfá tigh dóibh mar dhíon ón fhearthainn;
20 Is anois tá a gcabhair ar lár is gan dul ar chasadh!

Thá an Tiarna Váitéar go dubhach is go léanmhar,
Is an Bhantiarna Sibéal, mo bhrón, mar an gcéanna;
Thá Garraí Ricín fá dhorchadas is fá néalta,
24 Mar ghrianduibheachan nó oíche gan réalta,
Ó rug an bás uainn tú, a bhean uasal na féile!

Den seantreabh Ghallda ba uaislí in Éirinn!
Agus an t-oidhre oiriúnach go honórach deighmhéineach—
28 Mar is dual dona diúicí is uaislí ardréimeach—
Insa Chaisleán mór álainn inar mhair sinsearaigh Ghaelach'
I mbaile a dhúchais—Cill Chainnigh na gréine!

12

CAOINEADH DON TIARNA CUFFE

Éist, éist, a gharsúin bhacaigh!
Faigh galúnach chun d'fhéasóg a bhearradh;
Buail caip ar do cheann láibeach in áit do hata—
4 Agus caoinfeas an chliar so an Tiarna go maidin!

Éist go lá, a ghatacháin bhacaigh;
Chaoinfeá gadhar 'á mbeadh sé marbh
Ar bheiréad nó seana-léab d'fhallaing!
8 Is gur chaoin tú Maigí an Tromáin
Ar scilling bhán i gCallainn—
Agus caoinfeas an chliar so an Tiarna go maidin!

Bhí gaol aige le Grásaigh agus le Breathnaigh,
12 Agus leis na fir chaola donna ón Charraig;
Bhí gaol aige le daoine ab fhearra—
Leis na Gorgeacha breátha deasa!
Ba leis na Blúindin a rún ón Dama,
16 Agus leis na Cuffacha bána maithe
A thóg cúirt aolmhar ar thaobh an ghleanna
Is teach an chinn aird i lár Chill Achaidh—
Is éist go lá, a ghatacháin bhacaigh,
20 Agus caoinfeas an chliar so an Tiarna go maidin!

A Chuanaigh, a Chuanaigh, cá bhfuil tú?
Nó an gcuirfidh tú an fia rua as an tor chuige?
Mo chumha, a Chuanaigh, goil do dhaothain
24 Suil má raghaidh tú ag fiach le haon tiarna in Éirinn!

Chuala mé gur thuirling Tiarna nua aréir orainn—
Nach é an bás dúinn an stát so a bheith ag aoinne?
Acht amháin gurb é do dheartháir féineach é,
28 Agus go bhfuil súil againn go siúlfaidh do thréithe leis,
Mar is planda dhos na Cuffaigh sultmhara séimhe é!

Dh'aithníos féin ar na réalta do ghabh siar thar Challainn,
Agus ar na muiltibh iarainn a bhí ag stialladh go talamh,
32 Agus ar an fhúirnis do rinn a comharthaí cheana—
Bhris sí suas dhá uair nó a ceathair—
Agus thug an dair mhór a cluas don talamh,
Lá breá gréine gan ghaoth gan ghailfean
36 Le linn an Tiarna a dhul in Inse fá leaca
Á scéaldeimhniú dhúinn go raibh an deighfhear marbh!

Nín *roses* anois in do ghairdín,
Ná *posies* mar ba gnáth leo,
40 Is ní dh'fhásann na luibheanna fé thalamh,
Nín bláthach bhán ar na craobhacha,
Ná nín ceiliúradh aiges na héanlaithe,
Ó síneadh ins an Inse tú, a mharcaigh!

44 Thá *Agar* go dubhach tríot,
Agus Blúindean Chluain Mórnail,
Is Paidí go deo ag déarshileadh
Trína Thiarna breá mómharach
48 A fuair gairm i gcríoch Fódla—
Is é Seon *Cuffe*, mo léan é a bheith marbh!

A bhuachaillí glasa, cuimhnígí feasta
Cá gcodlóidh sibh an oíche,
52 Mar bheas bhur gcrann feasta
Go lag ins an Inse!
Ní cheilfidh mé féin ar Dhia ná ar dhaoine
Nach faoid' thuairim do thriall mé 'on Inse!
56 Is iad so na capaill bhacach, stadach, chaocha—
Le linn an leon a bheith insa scioból marbh—
Athá fád' hearse, a Thiarna ghléigil!

[52]

D'fhágfá an chaora acu go mbeadh sí ionúil chun a bearrtha,
60 D'fhágfá an lao acu go mbeadh sí ar im is bainne,
D'fhágfá an searrach acu go mbeadh sí ionúil chun treafa,
D'fhágfá an geamhar acu nó go ndéanfaí leann dá bharra
Chun a dh'ól é lá an spóirt, is rince fada
64 Lá aoibhnis is ceoil, is imirt ar faiche!

Tagann osna in mo chroí is deoraí im' leacain
Nuair ná feicim tú in do jaicéad uaithne is do chaipín dearg
Ag déanamh *commanding* ar na hiománaithe maithe!
68 Thá do chamán ar fiaradh fán leaba,
Is thá do liathróid dá bualadh aige buachaillí an bhaile—
Is go mbuailfeadh poc-*ball* ann chomh hard leis an ngealach!

Ní feicfear ag gáire insa rás so thíos tú,
72 Ná i gcúirt Chill Chainnigh inar mhinic a shuí tú—
Dhruidfí suas is dhéanfaí slí dhuit
Is tabharfá cúigear dá ainneoin ón mbinse!
Fuagraim oraibh, a bhuachaillí na hInse,
76 Ná bígí luath chun bualadh ná bruíne
Ó chaill sibh bhur gcrann feasta a bhí agaibh insa tír seo—
Agus bíodh a fhios agaibh ar maidin cá gcaitheadh sibh
        an oíche!

Ní chloistear do ' bhaolach ' in lúib coille ná sléibhe
80 Ná an fiagaí a bheadh go meabhrach ina n-aice,
Ní chloistear do chóistí ná d'eachra ag gabháil na mbóithre
Ó chuaigh tú ar feothan, a mharcaigh!

A *Otway Cuffe* na páirte, guímse ó Dhia an t-ádh leat,
84 Agus iarraim ar Dhia chughat saol fada
Chun seasamh do Ghaeil bhocht, mar Thiarna an chúil
        chraobhaigh—
Agus is mar sin is dual dos na Cuffaigh.

13

CAOINEADH DO MHÁIRE NÍ LANAGÁIN

Chuaigh mé go Baile Uí Thuathail ar bhruach na faille
Féachain an bhfeicfinn *Molly* Bhán na gcuachán geala,
Cúl a cinn ná teimheal dá *bonnet*.
4 . . . .

Tiocfaidh do charaid ar maidin ad' éileamh:
Uilliam ón Leamhach Seon agus Séarlas,
Máistir Stanard, an marcach breá gléigeal—
8 Go mba i bhfad é buan aigena chuallacht le glao air.

Tiocfaidh amáireach go práinneach ad' fhéachain
Iníon Mháire Bhán ón Bhealach;
Beidh tinte cnámh ann is rincí fada—
12 Éireos a croí mar do bhí sé cheana.

Bronnfas a dád naoi n-eastát uirthi gan dada
Le háthas a leanbh bán a theacht abhaile.
Dá bhfaighinnse titim is ar dhuine agaibh do ghlaofainn,
16 A chiallach, mar is duine 'á tréadtha mé féineach!

14

CAOINEADH DON ATHAIR RISTEARD Ó SÉ

Lag marbh i gcill, mo ghreim tinn dochradach tú,
A chóraidh chiúin chríonna agus solas dhon Tiomna Nua!
Ba naofa do chló ar altóir ins an Eaglais ghil
4 Do phobal ní bhfaigheadh faolsadh ó ochlán goil!

Ochlán goil do bhris mo chroí in mo lár
Le díomá i ndiaidh do chroibh ó bhochtaibh fuair an barr—
An bhuinneáin dheis—mo loit mar a chloígh an bás!
8 Is fíréan don chrois fá lic ina luí go bráth!

Go bráth ní bhiair ad' ghlao ar ais
Ó lár Shliabh Díle síos go Daingean na sceach;
Is é is brón is is díth liom gan a bheith ag éisteacht led'
Aifreann geal—
12 Tú a bheith ag dreo insa chill, á leaghadh aige clocha na bhfeart!

I bhfeart go trom i dteampaillín Stún Chárthaigh
Thá an fear gan cháim, ba ansa le naomh-Mháire;
Creach na mBrúnach agus planda na séimhráite
16 An sagart seang 'bhí ceansa séimh sármhaith.

Sármhaith an t-áras a dh'aistir Dia tú romhainn—
Go Parthas ar a láimh dheas i gCathair na nDúl.
Thá na táinte go bráth tríot ag sileadh na súl
20 Id' dhiaidhse, mar ba bhreá deas an t-Aifreannach tú.

Tú an mac léinn ab fhearr méin agus b'uaisle croí,
An leon aerach den tréanfhuil 'bhí stuama i Laighin.
Insa gcló céanna gan tú a bheith againn is é is trua lem' chroí;
24 Is ón lá d'éagais thá Gaeil bhocht go buartha tríot.

Tríot, a shocaire an bhrollaigh ghil ghlórmhair,
Is tú ag rá na bhfocal gan dochma go síothólta!
Thá do phobal i ndorchadas faoi dheoraibh—
28 Cé a bheas d'ár gcosaint i bhfochair an Rí ghlórmhair?

An ghlóire mharthanach go bhfaighe d'anamsa i síoraí suan—
Ceolta Pharthais á spreagaint leat, gan aon ní ad' bhuairt;
Soilsí geala id' thimpeall—is dainid linn tú a bheith
    deighilte uainn!
32 Is gur cúrsaí anfa-ghoil do theastas a dhul go doimhin
    san uaigh.

Uaigh bheag cluthar i gcóngar soilse gan feall—
Thá sa gcré dhúchais b'ansa leis an bhfaraire fial!
Is é a bheir dubhach sinn gan d'fhuascailt do bheith ar an
    gcreideamh mar do bhí—
36 Mar a taisceadh i gCill Lamhrach thú ar dtúis lag marbh
    i gcill!

15

CAOINEADH DO GHABHA ÓG CIARRAÍOCH

A dheartháir ó is a dheartháir dhílis,
Thá a fhios agamsa cad a chloígh tú—
Bualadh an oird ar dheis na gaoithe,
4 Is céalacan fada, is drochbhean tí agat,
Is léine shalach le haghaidh na saoire!

Dá mbeifeá cois abha Bhríde,
Cois abha Thriopaille mar a dtiteann an oíche,
8 Gheobhainn go leor de mhná óga id' thimpeall—
Ghoilfeadh Máire, Cáit, is Síle,
Is go deimhin ní ligfinnse tosach na slí acu!

[56]

16

AN BRÁITHRÍN DÍLIS

Bráithrín dílis na dtrí Mháire
Ar thit na trí rí ba airde i ngrá leo,
Ar dhruid na trí diúca go dlúth i gcás leo—
4 Thángadar arís chun tís go Port Láirge—
A stróic a ngúnaí chun éadaí dho bhráithre
Ag tabhairt óir bhuí ar chailísí bána
Chun a bheith choíche acu ag guí ar a gcairde.

8 Bhí triúr acu ina mbráithre, ceathrar ina sagairt,
Duine ina Phápa, is duine eile ina easpag,
Agus iad sin go léir dá nglao do Bhreathnaigh!
Dh'iompraídís siúd Leabhar Eoin is scaball
12 Agus paidrín cúig dheichniúr déag ar a méara geala,
Chuiridís bric as poll is creabhair as crannaibh,
Bheiridís an míol buí leo ó íochtar a ghaise—
Agus i ndiaidh sin níorbh iascairí iad in ainm.

16 Do bhí na seacht dteanga acu i gceann is in éifeacht—
Teanga chun Laidine is teanga chun Gaeilig,
Teanga chun Fraincise is teanga chun Béarla,
An teanga Eabhrach agus an teanga Ghréigis,
20 Agus teanga insa chúirt chun a gcúis a phlé acu!
Chuiridís giúistísí ina ngúnaí ag allas
Le tréineacht a bhfoirne is le glór a dteangan!

Bouċillig bana o'Ballyribbin
Lá fel Mihile ċorah ge dorus tig an osta
Sha ṫanig an gló air na farib
Do guilme le bornib, 7 cling-mairib ann mo clusa
Nuair ṫanig ċuin turas goraḃadar marḃ.

An trráḋ Ballyribbīn sha tracrig an muin
7 ta amintuir go dnaċ da neulub
Ta na nend go trian ag ḟidaċ gaċ nean
O'Buag leo an buala an láe ūd.

Nuair do ṫanig an sin oiḋċe in ceunas do bi guing
Ni raḃ moran ban ceinchá an na carrioh
Gur ṡuig inis sioran air bouċil na minear
7 do guisime gan sceidair go madin.

A Ṗadrig mo ceilag mo eacalān tu a ḃlyana
O is tuan bouċil na sceanaċ lá an cogga
Gur ḟan tu a steilag 7 ruppag gaċ diabal diob
Gur deirig ta cliaḃ gal a ṗullag

She Scurre do ṗang go duaċme 7 Darmudan tūr sar
7 an bouċil inin munchá do ṡil Callaḋ
7 do liaċ ogamaċ suilglas li sarub na cuire
Aċ gur mara lion an truir ūd nār [illegible] Callig

Sampla de lámhscríobh Shéamais Uí Bhraonáin

COMHLUADAR AGUS TIMPEALLACHT

17

TIOBAR DEAS CHRANN MOLING

I gCill Mhuineog do chodail mé go socair aréir, go deimhin;
Ar mo ghabháil don Cheapach dhom bhí an fhearthainn ag
séideadh in m'aghaidh;
An ceo tiubh dorcha, do leath sé go mór mo radharc,
4   Chuir sé amú ar an mbealach mé is mé ag tarraingt ar Chrann
Moling.

Is é an bile lomghéagach a thug eolais dom ar an slí,
Is na piléara geala go maiseach os comhair a thí
Ina raibh cuid mhaith ullamhtha—feoil, leann, agus fíon—
8   Ag teach Éilín is Risteaird aige tiobar deas Chrann Moling.

Bhí an chuach bhinn ag labhairt ar maidin ar Chrann Moling
Scríobhfaidh mé litir ghlan Ghaeilig chun Seán Clárach síos
An fheoil do scriosach dhi óna cosa go cúl a cinn
12   Má chuireann sí Risteard ó thiobar deas Chrann Moling!

. . . .
. . . .
Síol Cháit an Ghleanna is na marcaigh ba úire croí
16   Bíodh os cionn Mhuileann na Cille ag tiobar deas Chrann
Moling!

18

AN CHÉAD LÁ SAMHRAIDH · · ·

*Somer*ach na nAmhrán

An chéad lá Samhraidh agus mé go fannlag—
Mo chailín donn agam i gcomhra chláir—
Do bhuail an dream fúm i leataobh an teampaill
4   Do mheas mé a phleancadh is a chuir chun báis!
Mar do bhí an t-ádh liom bhí Dónall láimh liom—
An t-uan ab fhearr díobh—is a dtáinig ón Mhóin;
Do bhuail is ghearr iad, is chuir chun ráis iad—
8   Sliocht sliogán is a dtáinig i gcóir.

Lá roimh aonach fuaireas-sa scéala
Ar dhul chun réiteach le togha na spreas;
Bhí Seán na séimhe ann, is Dáibhí bocht tréithlag,
12   Is ní dh'áirím Séamas, rí na bhfear.
Labhair an spéirbhean thall go taodach:
' Thug dhá shéap as le bualadh an éadain,
Agus in ainneoin aoinne raghaidh sé isteach! '
16   Labhair Séamas thall go séimh léi:
' Led' thoilse, a spéirbhean, ní hé seo an fear!
Is duine 'á ghaolta é, ach is dá chine glaoite,
Agus d'ainneoin na méirleach gheobhaidh sé ceart! '

AN GRAOINEACH

Pádraig Ó Riada

Thá poic an tsléibhe in iomaidh liom
  Le tuilleadh agus bliain nó dhó—
Gan bonn im' phóca ag imirt leo,
4   Ach mo pheanna beag in aghaidh a gcuid óir!
Nach iongantach an scéal, is nach soineanta
  Mar a cumadh orthu é in aghaidh a srón?
Anois thá cuaille an chluiche againn,
8   Agus an séala so ina aghaidh go deo!

. . . .
. . . .
. . . .
12   . . . .
. . . . Tógfaimid ' hurrá ' suas,
  Agus ardóimid féin ár nguth—
Mar do bhuaigh an comharsa grámhar
16   Agus Pádraig ar na poic!

Ar mo ghabháil do theach na páirce dhom
  Le háthas ag deimhniú an scéil,
Bhí damhsa agus tinte cnámh ann,
20   Mar do bhuaigh Pádraig ar phoic an tsléibhe!
Bhí ceolta binne is leann ann—
  Is é a dúirt mo chailín bán:
' Thá Baile Móna glactha,
24   Agus margadh aige Riadagán! '

Is é an Graoineach mo chrann feasta,
  Agus m'anacair 'á mbeinn ar lár!
Is é a chroí a bhí de réir a theanga dhúinn,
28   Agus a phearsa ghlan gan smúid gan cháim!
Guímse féin gan bhladaireacht
  Paidir leis chun Rí na ngrás:
A chlann fá mheidhir i bhfearantas,
32   Agus Parthas acu tar éis a mbás!

20

DÁ mBEINN I gCEANANNAS

Nioclás Breathnach

Dá mbeinn i gCeanannas dom, nó scaitheamh taobh thíos de,
Nó i nGarraí na mBan i bhfochair mo mhuintir',
Chuirfidís a chodladh in olainn is i líon mé,
4 Nó in leaba clúimh na n-éan más é is daoire—
Ní chuirfidís idir dhá dhoras mé ag stopadh na gaoithe!

Faid a bheidh grian ar spéir nó féar ar talamh
Beidh trácht choíche ar Lionard Ó Nadaigh—
8 I nGarraí na mBan os cionn na Gaise
Mar do bhíonn fuaim abhann is cling mharbh,
Agus ceiliúr na n-éan gach aon mhaidin!

21

DON ATHAIR TOMÁS Ó MILLÉADHA

A Dhochtúir Mhilléadha, Mac Dé chun seasamh dúinn!
Is dubhach do dh'fhág tú paráiste Challainn seo!
Ba mhaith í do chomhairle don té do ghlacfadh í;
4 Is do bhí cumhacht ón Phápa agat, ardcheann na hEaglaise.

Is go Sliabh Díle mar a bhfuil an Paorach—
Fá dhíon na slinne—is ea a thriall an séimhfhear;
Thángadar na ropairí go borb taodach
8 Lena gcuid arm soilseach chun feall a dhéanamh!

Go hÁth an Iúir, mar a bhfuil plúr na ndéa-fhear,
Is ea a thriall an scuaineart gan trua gan daonnacht—
'Nós leon na Sláine, nó an t-Easpag Éibhear,
12 Ag dul chun catha leo bhí an sagart naofa!

Bhí an oíche go dorcha, go gailfeanach gaofar,
Gan solas gealaí ná soilse na réalta,
Ar feadh chúig uaire—is ba mhór an réim é
16 Gur choinnigh sé an garda gur rug fáinne an lae air.

A Dhochtúir naofa, de chléir na hEaglaise,
Bhí do sprang in do láimh is tú in lár an achrainn
Ag tabhairt aghaidhe dod' namhaid go bríomhar seasamhach,
20 Go ndeaghaigh na piléir in do ghéaga barra-thais.

Ba mhór é d'eolas ar theangtha na héigse:
Fraincis, Eabhrais, Laidean, is Gréigis,
Is ní gá dhom a dh'áireamh do theanga féineach—
24 Fuair gairm i bPáras insa Choláiste Gaelach.

Thá an Sliabh Rua baoch duit, is an méid a bhaineann leis!
Ar altóir Dé faoi scéimh id' sheasamh ann;
Insa deoiseas do shamhail ní fhacas-sa
28 Chun na briathra a scrúdú as údair bheannaithe.

[65]

22

BEAN ÓSTA BHEARNA GAOITHE

Tomás Ó Muirithe

Tá gleanntáinín im' aice ar ainm dó an Bhearna;
Is ann 'thá an *landlady* is fearr dá bhfuair cáile—
Guímse féin an flaitheas léi, agus go maire sí i bhfad láimh linn;
4 Is níor bhaol dúinn gan an t-airgead dá dtiocfaimistne gearr
ann!

Acht guímse tuilleadh tubaiste ar tuilleadh acu láimh léi
A bheadh ag cuir síos do Philib is ag dul in iomaidh le
hAnastás Bhán!
Díoladh siad an t-uisce linn in uireasba an bhiotáille—
8 Ach thá *brandyshop* in Ifreann is beas *Connors*, *breed* an
drawer ann.

Nuair a raghadsa chun an teampaill is a bheidh mo shalm
ráite
Déansa ionad coinne liom ag doras tí an tábhairne,
Mar a bhfaighimid cárt is cnagaire is congbhála sáite an
bharaille—
12 Beas an *jar* id' aice agam, is annla cuirfidh fáilte!

Thá mo chairde gaoil i bhfearg liom, agus fós mo dhearg-
bhráthair,
Go mbuailfeadh an ruaig an t-airgead—ná tagann
chughainn a lán di—
Ach go maireann sí trí seachtaine go bhfeicim tráite an
baraille
16 Go haerach trí lá margaidh—is í an *landlady* mo mháthair!

Is í an eorna an gráinne beannaithe ós na flaithis
chughainn a thuirling—
Is naomh a chuir i dtalamh í chun *practice* beag dúinne—
Thá sí gruagach buaiceach carthannach, gan dearmad
thá sí súgach;
20 Ach ní mhairfinnse trí seachtaine gan seal a thabhairt ag
diúgadh!

Deacair ort, a scórnach, is scólta orm atá tú—
Ionann ná tugann tú dom suaimhneas ó Luan go dtí
    Sátharn!
Níor stadadar mo mhuintir ach am' chiapadh is am'
    charnadh,
24 Agus sheoladar síos mé go híochtar Phort Láirge!

Ach do chas mé féin arís insa tír seo le háthas
Déanfaidh mé anois cúntas le leann is biotáille:
Ó mhaidin Dé Luain go dtí istoíche Dhé Sáthairn,
28 Ach i gcúrsaí Dé Domhnaigh nín fonn orm é a dh'fhágaint!

A fhuiscí chroí na n-anam, nuair a leagann tú ar lár mé
Bím gan chiall gan aithne—is é an t-achrann is fearr liom—
Bíonn mo chóta stractha, is gan dearmad mo charbhat;
32 Ach bheadh a ndearnais maite leat ach teangadh liom
    amáireach!

23

SÁRFHEARAIBH ÁLAINN THIOBAR FHACHNA

Creach bhocht an tsléibhe nuair a thagaid, nuair a thagaid,
Ag féachaint ár rachmais le spairn, le spairn!
Cuirtear abhaile iad le barraí na sleátha
4 Treascartha tréith-lag gan tréad, gan treoir!

Molt bán a bar ghnáthach mar bheatha, mar bheatha,
Aige sárfhearaibh álainn Thiobar Fhachna, Thiobar
    Fhachna!
Mart ard agus arán plúir mar an tsneachta bán;
8 Ag éisteacht le ceol sí agus ag ól fán Spáinn!

24

MALLACHT AR DHÚICHE ARA

Mo mhallacht síos duit, a dhúthaigh Dhúiche Ara!
Do chailleacha riabhacha na bhfiacla maide!
Ní hiad ba dhúchas dom' leanbh,
4   Ach cúntaoisí na ngúnaí fada
A mbeadh a gcuid síodaí leo síos go talamh!

Mo mhallacht díbhse, a iníona na háite!
Níor bhuaileabhair bas, níor ghreadabhair dearna;
8   Ná Piaras na hairce do rinne faoid' athair an mála!

25

TARBH CHILL CHÉISE

Dónall Rua Ó Riain

Do shiúil mé Sasana, Éire, is Albain
  Agus do bhí mé in arm an Diúca
Mar a mbíodh piléir á stealladh le fonn chun catha
4   Agus Francaigh á ndalladh le púdar.
Níorbh aon rud a bhfacas ariamh in aon bhaile
  Go dtáingeas abhaile in mo dhúchais—
Is gur i gCill Chéise a casadh mé i dteannta ag an tarbh
8   Ar thaobh na faille is é ag búirigh!

I travelled Ireland, England and Scotland,
  And had been in all cities in Europe
Where I was ne'er daunted by musket or cannon
12   *Where balls they rattled most furious;*
The wars of Holland, I thought them all nothing
  Where heroes were all battered and wounded:
But in Kilkeasy I happened to engage with a savage
16   *That without mercy abused me!*

[68]

Do casadh orm an tarbh is chuir sé orm *challenge*,
   Agus dúirt liom seasamh chun comhraic
Gan claíomh gan bata gan aon rud im' aice
20   Ach mé i dteannta balla gan chúnamh.
Is tréan is is tapa do réabadh sé an talamh
   Agus fiantas buile ina shúile,
Agus mur' mo fheabhas chun reatha is mé féin chun catha
24   Go réabfadh sé mo leathar gan chúntas!

He set me a challenge, prepared for a battle,
   And then to have an engagement—
Sword or wattle, indeed I hadn't,
28   *But the wood being very convenient . . .*
The ground he tattered all 'round with passion—
   His eyes like two candles ablazing—
And only for I trotted away so gallant,
32   *By Jove, he'd certainly tear me!*

Dá seolfaí an tarbh go hoileán na Sacsan
   B'fhearrde arm an rí é!
Agus deamhan fear singil, dá mhéid é a mhisneach,
36   Ná fágfadh sé osna insa chroí aige.
An deamhan fear singil, dá mhéid é a mhisneach,
   Ná fágfadh sé lag marbh sínte;
Is dá láidre iad na *barracks* do réabfadh na ballaí
40   Lena adharca a bhí daingean is díreach!

Nuair a dh'éiríos ar maidin is do shiúlas an talamh—
   Agus shíleas gur ina chodladh do bhí sé—
Is tréan is is tapa do dh'éirigh ina sheasamh!
44   Murach a fheabhas do chuireas-sa *beech* díom. . . .
Ní raibh claí ná balla ná airdeacht geata,
   Ná léataí 'á dhoimhneacht is bhídís!
Ach ó lámhachadh an tarbh thá an bua leis na bacaigh
48   Beidh na málaí feasta acu líonta!

[69]

DÓNALL RUA AGUS A THABHARTAS

Dónall Rua Ó Riain

Ar mo ghabháil trí Bhaile 'Phoill dom
Is mo ghadhar agam ag gabháil an ród,
Thar theach Ghearalt Mac Innéirghe
4   Mar a mbíodh meidhir againn is *punch* ar bord,
D'fhiafraigh insa tslí dhíom
Cé ar díobh mé nó cá'il mo ghnó,
Nó ó Shasana thar taoide
8   Dhon *breed* so athá againn chun spóirt?

'Coileán ceart don *game* thú,
Is ní staonfá de chúrsa ar sliabh,
Is raghfá in iomaidh leis na tréanchoin
12   'Á ngéireacht é a nós i bhfiach!'
'Níl aon chabhair ag plé liom,
Á dh'éileamh ná ag cuir ina dhiaidh—
Raghaidh sé go Cnoc Mhaoláin chun Séamais
16   'Á ndéanfaí mo cheann a thriail!'

'Tabharfaidh mé nóta geal naoi scillinge dhuit
Ná teipfeas ort i gCúige Laighean;
Is más Dónall Rua é d'ainm
20   Is daingean 'tá tú ag comhad do ghadhair!'
'Shiúlfainn mín is garbh leat,
Ins an arm, is gach áit dá dtéinn!
Ach an té ar gheallas dó an madra
24   'Á scarfainn leis cá dtabharfainn m'aghaidh?'

'Muna gur dóigh liom féin gur duine tú
A bhfuil fúinniméad ina ghlórtha, is greann,
Go Cnoc Mhaoláin ní chasfá-sa
28   Go ngearrfainnse trí horlaigh ded' cheann!
Nuair ná faighinn an madra
Ar airgead ná ar chaint an domhain
Bog an ród abhaile anois,
32   A spreagaire, 'bé tír ó ar ghabhais!'

'Is fuirist duit masla a thabhairt domhsa
Ar fallaing in do dhúthaigh féin,
Is gan aoinne beo chun seasamh dhom
36   Nuair a tharraing tú orm bruíon is scléip!
Tú ag iarraidh an gadhar a stracadh uaim
Le hachrann i dtúis an lae!
Is go Cnoc Mhaoláin má thagann tú,
40   Ar m'anam ná beidh tú baoch!'

27

CRAICEANN AN LAO

Dónall Rua Ó Riain

Ó Chill Chéise ar maidin is ea a ghluais mé go luaimneach,
Is i gCoill an Bháigh stopadh mé, ag cuir lorg ar mo
    thuairisc!
Bíonn mo thriall go Sasana, agus ní dhiúltaím bailte móra,
4 Is má théir go Sléibhte Breathnach is ea a chloisfidh tú
    mo thuairisc.

' Más Dónall Rua é d'ainm is fada mé ag clos tráchta ort—
Go ndéanfá dánta a cheapadh is go bhfuil fuinneamh in
    do ráití;
Díol an craiceann feasta liom agus gheobhair gan mhoill
    an t-airgead!
8 Ól ar leann le spairn é—is ní fada uait an tábhairne! '

' Ní dhíolfaidh mé féin an craiceann leat—níl maith dhuit le
    bheith ag trácht air—
Bheadh Seán Deá i bhfearg liom agus ní thabharfadh *trust*
    go bráth liom!
'Á dtabharfá a raibh aiged' charaid dom ní dh'iontódh
    staon in m'aigne,
12 Agus ní dhíolfainn féin an baile leat, mar is minic mé i
    gCill Chéise! '

GRÁ AGUS SUIRÍ

28

DO MHÁIRE BHREATHNACH

Dónall Rua Ó Riain

Ag cúil na Fearnóige athá an spéirbhean—
    Is í Máire bhreá ghléigeal Mhicheáil,
A bhfuil a bánchnis mar bhláth na sú craobh,
4   Is is breátha í ná Phœbus gach lá!
Ar Shliabh gCruinn do bhí radharc ar a gaolta,
    Is is siúr cheart 'Liféir í is Roibeaird
In aghaidh Chromail i gcogadh ná staonadh—
8   Claíomh cúil acu ar chaol-each ina láimh.

Ní phósfar go deo í le haoinneach
    A mbeidh deor ann ach tréanfhuil go hard,
Mar is planda den mbantracht ó *Wales* í
12   Is gach oidhre eile 'á mhéid iad le rá—
Bhí pobal Sútúin ar a gaolta,
    Is a máthair de phréimh cheart Ógáin,
Brainse de shíolrach 'Liféir í,
16   Is den Phúca a bhí glaoite chois trá.

Is í gaol Sheáin Chill Chreagáin is a phréimhe í,
    Is na hard-mharcaigh ó thaobh Chnoc Mhaoláin;
Is í gaol Adaim ó Chrua-Bhaile an tSléibhe í,
20   Agus Oraim do ghníodh na caisleáin.
Ó iníon Rí *Poland* le mórtais do glaodh í
    Do bhí pósta mar chéile ag a Dád—
Is ní bréag domhsa an véarsa so a scrúdadh
24   Ar an maighdean gheal mhúinte gan cháim.

I mBreatain, mar a gcastar an síoda,
    Bhíodh na Breathnaigh go líonta fá bhláth
Gur thógadar a seolta thar taoide
28   Le mórneart a gclaíomh chughainn gan scáth.

Insa bhFearnóig thá an bhruinneall den bhfíorscoth
Ná staonfadh lá an choimheascair dá namhaid,
Go dtáinig fórsaí le mórneart thar taoide
32   D'fháig an óigbhean is a sinsear gan stáit.

Is é a deir Piaras Bhaile Uí Fhinn gur dá phréimh í,
Mar do shíolraigh ón tréanfhuil dob fhearr
A mbíodh a cuallacht go huasal in Éirinn—
36   Is dá sinsir do glaodh Cill Phiocáin.
Bhíodh claíomh solais i ndoirnibh a gaolta,
Gur chuir Cromail a tréadtha le fán . . .
Is, a bhánchnis, ní náir liom é a insint
40   Gur láimh le Sliabh gCruinn 'tá do cháil.

29

AN PAORACH

A Mháire Roibeaird, go mbua Dia leat an t-ádh,
Agus ná tair anso Luan Cásca am' dhaoradh—
Iompaigh an duilleog ar an taobh mar is cóir,
4   Agus ná croch ins an éagóir an Paorach.

Goid chapaill ná bó ní dhearna mé riamh fós
Le go gcaillfinn leat cló mo scéimhe;
Ach *Delany* an tréatúir do dh'éalaigh uaim chun siúil,
8   Agus Máire insa chúirt am' dhaoradh.

Níl hurrú ná husá a ghabhann tríos an tsráid
Ná bíogann súd mé trí lár mo néalta,
Nuair do chuimhním ar an lá go mbínnse agus Clann Siobhán
12   Agus adharca inár láimh dheas dá séideadh.

Achainím, leis, an dream 'tá ag éisteacht lem' rann
A mbeannacht do chur liom den saol so;
Agus gur gairid uaim an t-am a mbeidh mo charaid go
        lag fann,
16   Is go mbainfear an ceann le faobhar díom.

A bhuachaillí na bpáirteann, beidh mo bheannacht agaibh
  go bráth,
  Agus tugaigí *Bold Charley* am' fhéachaint
Go bhfeicfidh sibh mé aríst cuairt bheag eile ar marcaíocht
20   Is go dtabharfadh sin an croí don Phaorach!

Mo chreach agus mo chrá, ní mar do shíleas atá,
  Ach in dinsiúna gránna im' aonar—
Handcuffs ar mo lámha, agus mo chosa dá gcrá,
24   Agus mé i gCill Chainnigh go dubhach aige daorbhroid!

Bhí duas agam le fáilt, agus fuascailt ón mbás,
  Agus triúr do bhí daor a thabhairt slán liom,
Dá ndéanfainn *informing* ar an mbuín ghil do chráigh mé
28   Agus do dh'fhág mé go tláith ag géarghol.

Ar shaibhreas na Mumhan ní dhéanfainnse súd
  Nó go gcuirtear mé san úir gan éifeacht,
Go sínfear mo chúl le téadraibh i Sráid Eoin,
32   Agus go mbeas Poll an Chapaill gan ghruaim im' éagmais.

Dé Luain ba dh'ea an lá ba chloíte é mo chás
  Im' sheasamh insa *bar* im' aonar,
Agus gach *Cromwellian* dá rá dá ngabhadh an tsráid:
36   ' Cuirigí chun báis an méirleach! '

Guímse go hard chun Peadair agus chun Póil,
  Agus chun na naomh eile atá ar láimh Dé ann,
Treascairt ar an dream a bhainfeadh díom an ceann
40   Agus mo charaid go dubhach im' dhéidhse!

Dá mbeinnse féin aríst ar an taobh thall des na grátaí
  Is dearfa go scríobhfainn véarsa
Anonn tar an taoide go ruigfeadh sé an rí—
44   Agus go deimhin díbh ná crochfaí an Paorach!

POLLY

Ar mo ghóilt dom do Dhroichead na Tuaire
  Is mé ag lorgadh mo stuaire chailín,
Casadh liom cnap tí in uaigneas
4   Gan teacht braon anuas ann ná aníos.
Bhí *Polly* agus a mam go huaigneach
  Ar leaba i mbun suaimhnis ina luí,
Agus lem' stairíocht gur mheas mé í a dh'fhuadach
8   Go dtí 'gcóireoinn a cuacha léi síos.

Chuireadar tuairisc na béithe
  Agus leanadar mé féin ar mo bhonn;
Fuaradar mo thuairisc ó gach aoinne
12   Go dtí 'dtángadar taobh liom mar a rabhas.
Phreab mé im' sheasamh is léim mé,
  Agus lámhaíos mo chaol-each breá donn—
Is ná raibh aon chapall ariamh agá gaolta
16   Do bhéarfadh ar Shéamas ina dhrom.

Gan dearmad is é an caladh do shnámh sé;
  Go tapa thar balla thug léim—
An stail dob fhearr i gcríoch Fódla
20   Agus an marcach ba leonta ina dhroim!
'Scuaib an ainnir chiúin chailce thar teora—
  Gé go measaim gur mb'óg í mar mhnaoi—
'Raibh lasadh ina leaca mar *rosies;*
24   ' Agus an ligfidh tú an t-ógfhear a chloí? '

' *Polly*, ná bíodh ortsa buaireamh
  As tusa a scuabadh thar toinn—
Gheobhair marcaíocht ar stail ghroí go huasal
28   Ar fad síos go cuan Bhaile Uí Ghroinn.
. . . .
. . . .
. . . .
32 . . . .

D'imíos lem' ard-intinn aerach,
Agus go Talamh an Éisc liom ar dtúis;
As súd go Sasana na Bhéarla
36   Agus gach ball eile a mb'fhéidir é a shiúl.
Ba mhinic i gcogadh na bpiléar mé
Striopálta im' léine agus im' thriús;
Agus anois ó tháim gaibhte ní féidir
40   Go ligfidh tú mé a dhaoradh insa chúirt.

31

MÁIRE NÍ CHINNFHAOLAIDH

Tiocfas an Francach anall chughainn go hÉire
Agus buailfidh sé an t-ualach anuas ar Chinnfhaoladh!
Gheobhaidh sé thart timpeall go Faichín an phléisiúir,
4   Is i mbruach an Loinneáin mar a ndearna sé an t-éirleach!
                     Is siambó!

Mo mhíle grá tú, a Mháire Ní Chinnfhaolaidh,
Is ní chasfar go bráth leat a ndearna do ghaolta—
Nín aon deor dá gcuid fola ina codladh in do ghéaga
8   Nuair nár chroch tú ag an gcúirt é, ar chomhairle na méirleach!
                 Agus siambó!

A *Father* gheal *Farrell* go mba fada faoi réim duit!
Go mba buan fear d'ainme id' sheasamh ins an éide!
Scríobh tú litir le Meachair go Cill Chainnigh á shaoradh,
12   Is gur dh'admháil an bhruinneall gur dh'imigh sí féin leis!
                 Agus siambó!

A Liaim ghil Uí Mheachair, cad a bhain duitse ar aon chor
Ná deaghaigh tú ins an arm nó seoladh ar bord loinge?
Seachain an baile—thá do namhaid ag an teora!
16   Aige sceach Bhuaile an Fhinn tá crochaire an chorda!
                 Agus siambó!

A Liaim bháin Uí Mheachair, deirimse Dia féin leat!
Seachainse an Bhuaile, is na cuanta athá taobh leis!
Coinnigh an stuaire ar cuaird seal dá bréagan
20 Go mbeidh oidhre óg ag teacht abhaile aige Peata Chinn-
fhaoladh!
Agus siambó!

Níor dh'fhág sé tor aitinn gan stracadh insa dúiche—
A bhfuil ó Chluain gheal Meala go Carraig na Siúire—
Chuaigh sé go Caiseal, is as sin go Durlas,
24 Agus chraoil sé an ainnir aige geata Chill Lamhrach!
Agus siambó!

32

BRÍD NÍ CHEALLAIGH

Idir Cill Mhanach is Raithneach
Is ea a chaitheas-sa túis mo shaoil,
In aice na mbuachaillí séimhe
4 Is cailíní múinte caoin.
Taithneamh níor ghlacas d'aon bhean,
Ach go haerach ag ól na dí,
Nó go ndán gur dhearcas an spéirbhean—
8 An ainnir do bhreoigh mo chroí!

Is í Bríd Ní Cheallaigh an spéirbhean
'Thá innealta meargaí meall—
Thá sí carthannach daonmhar,
12 Is molann an saol í ar fheabhas;
'Bhfuil a cúilín fite go féar léi
Go triopallach dréimreach donn—
Is é mo chumha gan mise dá bréagain
16 Ar mhaoilinn an tsléibhe úd thall!

[80]

Is eol dom 'dtaobh cupard a dhéanamh,
   Is muileann a ghléas ar abhainn,
Long is coitear i ndéidh sin
20   Do bhéarfadh sinn ar aon anonn;
Do scríobhfainn Laidean nó Béarla
   Chomh cliste le haon mhac saoir—
Is 'on chliar nárbh fhuiris' liom réiteach,
24   Is go bpósfainn gan aon rud í!

Dá mbeadh tíos agam agus áitreabh—
   Mar do bhí aigem' chairde romhainn—
Do gheobhainnse cailín deas sásta,
28   Airgead bán agus púint.
Anois ó tháim gan chruach gan stáca,
   Is ná cuireann do chairde liom,
Fillse abhaile ar do mháithrín,
32   A bhruinneall 'thá lán de ghreann!

Is é mo chumha gan mise is mo spéirbhean
   Na mílte léig ó thuaidh
In oileáinín coille inár n-aonar
36   Mar a labhrann an t-éan is an chuach!
Do phógfainn go milis a béilín,
   Agus chuirfinn lem' thaobh í ón fhuacht,
Agus scríobhfainn litir chun Phœbus
40   Chun solas an lae a bhreith uainn!

[81]

MÁIRÍN CHILL CHAINNIGH

' 'Á dtiocfá liom chun teampaill,
 A Mhalaí bheag óg!'
' 'Dén gnó a bheidh ann agam,
4 A chuid an tsaoil is a stór?'
' Ag éisteacht leis an gcantaireacht
Is le ministéirí Gallda,
Is ag amharc ar na huaisle,
8 A Mhalaí bheag óg!'

' An dtiocfá liom chun Aifrinn,
 A ógánaigh ó?'
' 'Dén gnó a bheidh ann agam,
12 A Mhalaí bheag óg?'
' Ag éisteacht leis an Eaglais
Ag léamh na mbriathra beannaithe—
Mar is é siúd ba chleachtadh dhom
16 A ógánaigh ó!'

' Raghainnse ag baint an aitinn leat,
 A Mhalaí bheag ó!
Raghainn á thabhairt abhaile leat,
20 A chuid an tsaoil is a stór!
Raghainnse leat chun an Aifrinn—
Is ní mar dhúil sa mbeannaitheacht,
Ach amháin do bheith ag amharc ort,
24 A Mhalaí bheag ó!'

' An dtiocfá fán choill chraobhach,
 A Mhalaí bheag ó?
Is an t-úllord aoibhinn aerach,
28 A chuid an tsaoil is a stór,
Mar a bhfaighimis cnó is caora
Is úlla i mbarra géagaibh
Is ceol binn na n-éan ann
32 Gach aon mhaidin cheoch?'

' Is milis liom do phóigín,
  A Mhalaí bheag óg,
  Is do bhéilín tanaí ró-dheas,
36   A chuid an tsaoil is a stór,
  Do shúile mar an ómra,
  Is do ghruaig ar dhath an óir bhuí—
  Is do mhairbh tú dhen bhrón mé,
40   A Mhalaí bheag óg! '

' Ní chuirfinn dubh ná dearg ort,
  A Mhalaí bheag óg,
  Síoda *stiff* ná *cambric*,
44   A chuid an tsaoil is a stór—
  Acht lásaí óir is airgid
  Is an *hollandish* is daoire i Sasana,
  Is ina dhiaidh do raghainn thar caladh leat,
48   A Mhalaí bheag óg! '

' 'Á mb'áil leat a bheith ceannasach,
  A Mhalaí bheag óg—
  Gan do chroí istigh 'bheith gangaideach,
52   A chuid an tsaoil is a stór?
  Thabharfadh an Paorach taithneamh duit—
  Searc a chroí is a anama—
  Is go bráth bráth ní scarfadh sé
56   Le plúr na mban óg! '

' Is dubhach atáim, is fannlag,
  A Mhalaí bheag óg:
  Is beidh eagla lem' ló orm,
60   A chuid an tsaoil is a stór—
  Gach cosán fada dá ngeobhadh mé
  Is cuanta i bhfad ó ródaibh,
  Ar eagla go mbeifeá romham id' ghósta
64   Nó id' chú bán ar na bóithre!
  Is gur dh'fhág tú faoi bhrón mé.
  A Mhalaí bheag óg! '

'Is dubhach an scéal atá agam,
68   A Mhalaí bheag óg—
Gur chuir mé dhen tsaol tú,
  A chuid an tsaoil is a stór!
Is é an scian pheann 'thá in mo phóicín
72 'Lig leat fuil do dhrólainn'—
Is dh'fhág sin príosún fuar agam,
  A Mhalaí bheag óg!'

'Lean mé i ngach uile aird tú,
76   A Mhalaí bheag óg!
Lean mé go Corcaigh siar tú,
  A chuid an tsaoil is a stór!
Shiúil mé thoir is thiar leat,
80 Shiúil mé idir dhá shliabh leat--
Is bheirim anois do Dhia tú,
  A phlúr na mban óg!'

Tháinig Malaí bhán go huaigneach
84   Dhá uair roimhes an lá;
Leag sí a géaga fuara orm,
  Is a béilín tanaí tláth!
Is é a dúirt sí: 'Preab, a bhuachaill—
88 Is mithid duit feasta gluaiseacht!
Thá an tóir ag teacht ró-luath ort
  Trí phlúr na mban óg!'

'Conas 'tá do mháithrín,
92   A Mhalaí bheag óg?'
'Thá go buartha cráite,
  Is beidh lena ló!
Ní hí sin is cás liom,
96 Ach an buachaill a raibh mé i ngrá leis—
Beas dá chuir i mbranraí in airde
  Trí phlúr na mban óg!'

‘ Tiocfas an bás go huaigneach
100   Dhá uair roimhes an lá—
Bainfidh sé cúntas crua dhíot
’Chionn cluain do chuir ar mhná!
Beidh dréimirí fada fuara ort,
104   Is bairlín bán an fhuachta ort—
Is nár bhreá í an aithrí an uair úd
’Á mbeadh sí le n’fháil! ’

34

’Á LEANFAINN TÚ · · ·

‘ ’Á leanfainn tú siar go dian go Ceatharlach
Chaillfinn mo chiall mara dtriallfá abhaile liom,
Óró, agus bheinn ag sileadh na ndeor! ’
4   ‘ Bíodh an cíos go cruinn deas bailithe—
Níl aird insa tsaol, más fíor, ná rachaimid
Óró, nó thar an fharraige mhór!
Glacfaidh mé long, más fiú mo thairbhe;
8   Béarfaidh mé liom tú anonn thar farraige,
Nó go hAlbain más é is fearra leat—
Ar a sheasamh dom ná bíodh eagla ort!
Óró, nach tusa mo stór? ’

12   ‘ Ní chreidfinn do bhriathra tar éis a n-abairtear,
Mar is fear magaidh tú a bhíonn ag mealladh ban,
Óró, agus a bhfuil dúil ins an ól! ’
‘ A chumainn mo chléibh agus a réiltheann mhascalach,
16   Ní ineosfainn féin bréag óm’ bhéal ar chapall duit
Ar eagla an pheaca agus go mbeimis féin damanta—
Páirt im’ anam go bráth ní scarfas leat
Óró, go raghaidh mé faoin bhfód! ’

[85]

²⁰ ' Ní léigfead faoin bhfód go deo mo phreabaire—
    Is tusa mo stór ó fuairis fios d'aigne,
    Óró, agus bí im' choinne ins an ól!
    Glaofaimid an *drawer* agus tráfaimid an baraille;
²⁴ Tógfaimid rí-rá a mbeidh trácht i gCallainn air,
    Óró, an fhaid a mhairfidh 'bhfuil beo! '

    ' B'fhearr liom do mhéin ná céad bó bainne agam,
    Ná muilte ag meilt plúir agus *brewery* ag tabhairt leanna agam!
²⁸ . . . . súd é m'aigne—
    Thabharfainn an saol go léir ar maidin ort,
    Óró, is creid feasta mo ghlór! '

    ' Is iontach an scéal mar a ghéill mé cheana
³² Do réic 'ed shórtsa aniar ón Mhainistir
    Do mheall mé le héitheach go leor;
    Gur chuiris an saol go léir i bhfearg liom—
    Siar go raghadsa ag triall led' leanbh chughat,
³⁶ Óró, is ná feadar cá ngeobhad!
    Má thugann tú an *manual* go bráth ná scarfair liom—
    Tuilleadh biotáille le fáil in aisce agat!
    Cloígh síos d'aigne agus fill abhaile liom,
⁴⁰ Óró, agus a bhfuil agam do gheobhair! '

35

AN DRAIGHNEÁN DONN

Thá stuaire de chailín beag óg am' chrá
A bhfuil lasadh ina leacain agus rós ina lár—
D'fhág sí mé in aicíde bhróin is bháis
4 Agus bhain sí mo thaithí go deo dhe mhná!

Cailín beag a bheathaigh ins an áit seo mé,
Is cailín a mhaslaigh trí ghrá fir mé—
Ag síormhealladh gach gaiscíoch is ag pógadh a mbéal—
8 Agus mo bheannacht chun cailíní óga an tsaoil!

Tabhair do mhallacht dod' athair is dod' mháithrín féin
Nár thug solas beag duitse ar mo láimhse a léamh—
Is doith ar maidin 'scríobhfainn chughat brí mo scéil—
12 Agus mo bheannacht nó go gcasfar ort Dé Domhnaigh mé!

Ní lucht húdaí ná búclaí dob fhearr liom fhéin,
Ach stuaire dhe chailín beag óg gan chréim—
Bheadh a cúilín cas búclach ag fás léi go féar—
16 Is thá cumha agam i ndiaidh mo mhuirnín, is ní náir liom é!

' Beir leat mé, is níl airgead ná ór agam;
Beir leat mé, is níl bó agam ar mhóin ná cnoc;
Beir leat mé, is níl báibín id' dhiaidh agam—
20 Is murar leat mé ní mhairfidh mé go bliain ó inniubh! '

Is dóigh le céad bean gur leo fhéin mé nuair a dh'ólaim leann;
Dhá dtrian go dtéann síos liom nuair a smuainím ar ghreann.
Sneachta síonmhar is é á shíorchuir ó Shliabh na mBan Fionn,
24 Is go bhfuil mo ghrá-sa mar bhláth na n-áirní ar an Draighneán
Donn!

' A shaol-searc, ná tréig mé ar airgead ná ar ór;
A shaol-searc, ná tréig mé ar mhacha breá bó;
A shaol-searc, ná tréig mé ar a bhfuil sa tsaol beo—
28 Is gur tú an chéad fhear inar léigeas mo chumann leis fós! '

Is dealbh fear ina sheasamh le claí ró-ard
Gan céim bheag 'bheith ina aice ar a leagfadh sé a láimh—
'Á airdeacht crann caorthainn bíonn sé searbh ina bharr,
32 Is go dtagann sméar is sú na gcraobh ar an gcrann is ísle
    bláth!

Beir mo bheannacht chun an bhaile bheag 'thá ansúd thall,
Is gan dearmad an baile beag atá os a chionn—
Is iomadh bealach fliuch salach agus bóithrín cam
36 Idir mise is an baile a bhfuil mo dhianghrá ann!

NÓTAÍ

1

Is é atá i gceist sa dán seo an coimheascar a tharla i mBaile Roibín, Co. Chill Chainnigh. ' Newmarket ' a thugtar ar an áit sin i mBéarla. Ar an Satharn, an 29ú Meán Fómhair 1764, a tharla an eachtra. Bhí naonúr Buachaillí Bána á dtabhairt ag ceithre dhuine déag de shaighdiúirí ó cheantar Bhaile an Phoill go príosún Chill Chainnigh. Ar an mbóthar cúng idir Baile Roibín agus Baile na gCaorach, de réir na tuairisce oifigiúla, thug thart faoi 300 duine de mhuintir na háite faoi na saighdiúirí, ag gabháil de chlocha orthu. Scaoil na saighdiúirí urchair leis an slua. Mharaíodar ochtar agus ghoineadar a thuilleadh. Maraíodh beirt de na saighdiúirí féin sa scliúchas—an Sáirsint Johnson agus an Ceannaire Sparks. Le linn an achrainn d'éirigh leis na príosúnaigh a gcosa a thabhairt leo. Theilg na saighdiúirí ochtar díobh siúd a goineadh—seisear fear agus beirt bhan—isteach i gcairteanna, agus thugadar leo iad go príosún Chill Chainnigh. Fuair beirt de na fir bás ansiúd. I mí Aibreán 1765 crochadh seisear Buachaillí Bána ag Faiche Shéamais i gCill Chainnigh i ngeall ar an eachtra. B'iad siúd Séamas Ó Riada, Séamas Ó Coistealbha, Roibeard Ó Nualláin, Éamonn Tóibín, Liam Bell agus Seán Ó Braonáin (cf. *Faulkner's Dublin Journal* 29/9-2/10/1764; James S. Donnelly Jr. in *Irish Historical Studies* 21 (1978) lgh 49-50). Ní réitíonn an tuairisc oifigiúil ar fad lena bhfuil d'fhianaise ar fáil san amhrán seo, áfach, mar a bheidh soiléir thíos. Séamas Ó Braonáin a bhailigh na focail.

1. *Lá Fhéil Michíl:* .i. an 29ú Meán Fómhair, dáta na heachtra.

   An tórramh: Is amhlaidh a lig an slua orthu gur sochraid a bhí ar siúl chun nach dtarraingeofaí amhras na saighdiúirí orthu. Chuireadar chun bóthair ón taobh eile de Bhaile Roibín chun go dtiocfaidís roimh na saighdiúirí ar an mbóthar. Bhí ' comhra ' acu lán de chlocha mar armlón don chomhrac. Nuair a tháinig an dá bhuíon ar a chéile ag Baile Roibín timpeallaíodh na saighdiúirí agus baineadh a ngunnaí díobh. Scaoileadh saor na príosúnaigh ansin. Ach d'impigh na saighdiúirí go dtabharfaí ar ais dóibh a gcuid arm ar eagla an chrua-phionóis a chuirfí orthu de bharr iad a chailleadh. Shocraigh an slua ar na gunnaí a thabhairt dóibh. Nuair a fuaireadar ar ais iad, scaoileadar urchair leis an slua agus mharaíodar cuid mhaith díobh (cf. Pat Walsh in *O.K.R.* 17 (1965) lgh 41-2; William P. Burke, *History of Clonmel* (Port Láirge 1907) lch 364).

   Doras tigh an ósta: ' The door of George or the door of the public house is the door of George Reid, publican in Newmarket, where they all assembled to take a treat with the prisoners whom they had liberated, having returned their arms to the Light Horse. For afterwards they regretted that they did not win the arms and then they would be out of all danger. The three who stole back into the osiery behind George Reid's house and began a crossfire made fatal execution among ' the Boys of the White Shirts ', as they could not see them with the smoke of the powder and could not grapple with them as they were at a distance '.—S. Ó B.

13 *Pádraig:* Pádraig Ó Diarmada, ón gCrua-bhaile. ' It seems that Patrick Darmody is the man over whom the composer mourns '.—S. Ó B.

17 *Scoireadh:* Micheál Ó Scoiridh, ó Thigh an Chnoic.

18 *Buachaill mín múinte:* Risteard Ó Ceallaigh ó Bhaile na Buaile.

20 *Triúr:* an Diarmaideach, an Scoireadhach, agus an Ceallach. Ní foláir gur maraíodh iad sa chomhrac.

22, 67 : *Light Horse:* Buíon de chuid *Lord Drogheda's Light Horse* ba ea na saighdiúirí.

29 *Micheál:* Micheál ' Ciotach ' Breathnach, ón Daingean.

32 Dhealrófaí ón líne seo go raibh gaol idir an file (Pádraig Ó Riada) agus Micheál Breathnach.

39 *Seoirse:* Seoirse Ó Riada, an tábhairneoir i mBaile Roibín.

43 ' The man with the yellow vest is said to be one Holden from Harvey '.—S. Ó B.

48 *An Charraig:* Carraig na Siúire, mar a raibh ceanncheathrú na saighdiúirí a bhí páirteach san eachtra.

49 *An tAidhleartach:* ' The Aylwards were from Knocktopher '.—S. Ó B. I mBaile Róboic, i bparóiste Chill Achaidh, gar do Chnoc an Tóchair, a bhí cónaí ar an Aidhleartach seo, a deir an Braonánach.

53 *An triúr:* an triúr saighdiúirí a shleamhnaigh leo laistiar de theach ósta Sheoirse Uí Riada agus a scaoil cith marfach piléar as an mball sin.

55-6 Thuairiscigh *Faulkner's Dublin Journal* in eagrán Dheireadh Fómhair 1764 gur thángthas ar cheathrar marbh óna gcréachta i bhfialann an Bhíocúnta Mountmorres agus ' a great many have died in that way '. Tagann an t-áireamh ' ochtar faoi chlár i gCill Chainnigh ' leis na tuairiscí comhaimseartha nuachtán .i. beirt a fuair bás sa phríosún agus seisear a crochadh, má ghlactar leis gur tar éis Aibreán 1765 a cumadh an dán.

57 *Na bránna:* na príosúnaigh a raibh a dtabhairt ó Bhaile an Phoill go Cill Chainnigh mar bhunchúis leis an gcomhrac.

61-4 Ní chreideann an file go bhfuil cabhair le teacht ón bhFrainc ná ón Spáinn, agus dar leis go gcaithfidh na Buachaillí Bána féachaint amach dóibh féin.

64, 68 *Fir Bhána:* .i. na Buachaillí Bána.

Meadaracht: Malartachas ar cheathrú cheithre líne atá i gceist. Ceithre chéim atá sna corrlínte, agus trí chéim sna réidhlínte. Tá comhfhuaim sna corrlínte, aicill ón gcorr go dtí an réidh, agus amas idir an chéim dheiridh sna corrlínte agus sna réidhlínte faoi seach i ngach ceathrú. 2 (A + B) an fhoirmle, mar sin, agus athraíonn cáilíochtaí A agus B ó cheathrú go chéile. Tá aicill in easnamh ar an dara ceathrú, ar líne 14, agus ar an gcúigiú ceathrú déag. Tá easpa comhfhuaime ar an dara ceathrú, agus easpa amais ar an gceathrú ceathrú déag is ar an gcúigiú ceathrú déag. Is léir, mar sin, go bhfuil an trí cheathrú sin an-neamhrialta, agus is deacair a shamhlú gur sa riocht sin a cumadh iad. Tá patrún scaoilteachta dá chuid féin le brath sa chuid eile, agus is féidir glacadh leis gur cheadaigh an file a leithéid dó féin.

Léamha na Lámhscríbhinne: 1. Lá Fhel Mihile thorah ge. 3. boruibh. 5. An tsrád. trascrig. 8. buag. buala. 9. guing. 13. moeacalán. 14. stenach. cogga. 16. deir-

níg. 17. túr. sar. 18. Calladh. 19. sasubh. 20. caillig. 21. Padrig. bhouladh.
23. Ristard. Padrig. 25. boula'. De Sáring. 28. Ó Sturragh. 29. Míhal. ith
ceinagh. 30. ansa murragh. 31. oisne. astig. 32. bhrasín. gaol. cumming.
33. Bhrasín. eilas. árdslucht. 34. migeing. gangrish. 35. don fírfuil. cniscur.
36. fasag. feirscuch na Brannig. 38. loubishe. lonnag. 39. Lá Fhel Mihile torah
ge dorus tigh Shorsa. 40. n'glacca. 42. bhaniach. cligang. 43. Go de dearach.
bhest úaniah. 44. inthoch. bhualac. 45. túrsah. rúiladh. 46. lujach. 47. ar
comhna. steina. 48. troopigh. a'n Carrig. 49. a sluat múa. 50. duantha. túhal.
54. go bhraugh sin. 5. airibh. 56. fi clár a Guilcuinagh. 57. íarag. Serjeant.
58. laggan. 59. glaccamuist. 60. bráuc. ge. 61. chreidfingse. brahair. 62. Go
buil. 63. dá n'arib. na togadh. 64. firibh bhana da laggan. 65. Marih. cuag uang
thar sala. 66. memuidne. fi. 67. coumpigh. 68. hurrugh ge firibh bhana á
trascarth.

2

Ní thugann Seán Ó Doinn ainm aon údair leis an amhrán seo. Chuaigh sé
go cuid mhaith daoine ina cheantar dúchais ag iarraidh teacht ar na focail.
Dhá leagan atá tugtha aige sna lámhscríbhinní. 12 véarsa atá sa chéad leagan
(a bhfuil an téacs anseo bunaithe air), agus 5 véarsa sa dara ceann. Ón dara
leagan is ea línte 41-4 anseo. Ar fhonn ' Dunlavin Green ' a chantaí an t-amhrán,
a deir an Donnach. Le heachtra a tharla ar an gCéadaoin 22/2/1775 i mBéal
Átha Ragad a bhaineann an t-amhrán. Bhí roinnt d'fheirmeoirí gustalacha na
háite tar éis talamh coimín a ghlacadh chucu féin agus clathacha a chur timpeall
air. Chuir na Buachaillí Bána i gcoinne na hoibre seo, ach briseadh orthu.
Bhí tiarna talún Caitliceach an bhaile, Robert Butler, le fada ag iarraidh a
chruthú go bhféadfadh Caitliceach bheith chomh dílis don dlí Gallda is a bheadh
aon Phrotastúnach, agus bhí sé ag gríosadh an phobail i gcoinne na mBuachaillí
Bána. Bhí sé i Sasana nuair a thit an trioblóid amach i 1775, áfach; agus ba é
an sagart paróiste, an tAthair Alexander Cahill, a ghlac ceannas ar lucht an
ghustail. Deartháir do Robert Butler, James, a bhí ina Ard-Easpag Caitliceach
ar Chaiseal, agus bhí a phátrúntacht sin ar fáil go daingean ag an ' Anti-Whiteboy
League ' a bhunaigh an Cathalach. Chuir an Rialtas airm thine ar fáil don
Chumann seo, agus thug iarshaighdiúir traenáil dóibh. Ghlac an Cumann de
chúram orthu féin cur isteach a dhéanamh ar na Buachaillí Bána ar gach slí a
d'fhéadfaidís agus spiaireacht a dhéanamh orthu. Sa deireadh, bheartaigh na
Buachaillí Bána ar thithe lucht an Chumainn i mBéal Átha Ragad a dhó. Oíche
an 21ú Feabhra, bhailigh na sluaite díobh le chéile ar fhaiche Ráth Bheitheach.
Bhí buíonta ann ó Dharú, ó Challainn, ó Mhóin Choinn, ó Achadh Úr, ó Ghabh-
rán, agus ó áiteanna eile. Isteach is amach le trí chéad marcach agus dhá chéad
coisí a bhí ann ar fad. Deirtear go rabhadar go léir gléasta i gcultacha bána,
agus go raibh fóda tirime ar bharr pollaí acu chun tine a thabhairt do na tithe.
Ghluaiseadar leo, agus bhaineadar droichead Bhéal Átha Ragad amach thart
faoina trí a' chlog an mhaidin dár gcionn. Ar aghaidh leo díreach go teach an
Bhuitléaraigh, áit a raibh an Cathalach agus trí dhuine déag eile faoi réir le
gunnaí. Nuair a thosaigh an lámhach is ag muintir an tí a bhí an buntáiste, agus
cuireadh an teitheadh ar na Buachaillí Bána. Fágadh beirt mharbh ar an tsráid,
agus ba chosúil ó na rianta fola ar thángthas orthu an mhaidin dár gcionn go

[91]

raibh a thuilleadh marbh nó gortaithe go dona ach gur rug a gcomrádaithe chun siúil leo iad. I gcomhair tuairiscí ar an eachtra seo, cf. Edmund Finn, *The Leinster Journal*, Feabhra 22-25, 1775; Carrigan 2, lgh 90-1, 122; T. Lyng in *O.K.R.* 1 (1948) lch 22; agus Pat Walsh in *O.K.R.* 17 (1965) lch 41.

7-8 Tá an méid seo in *The Leinster Journal* thuas faoinar maraíodh agus ar gort-aíodh: ' One Patrick Butler and Michael Travers, were killed on the spot, and their bodies found in the street, the latter receiving a ball in the thigh thro' the cural artery, which passed thro' the saddle, and killed the horse as well as the rider; six horses found killed in and about the town; some guns and pistols were thrown into the river by the Whiteboys, and found next morning; and a bloody hat was found perforated by two slugs, and it is supposed the person who wore it, was carried away dead by his party; and on Wednesday morning a Serjeant's guard of the 9th Dragoons, who went from hence to Ballyragget in search of the killed and wounded, took one John Buggy, of Freshford, who received a slug thro' his body and died on Wednesday night '. Ó Achadh Úr ba ea Pádraig de Buitléir agus Micheál Travers, chomh maith (*O.K.R.* 17, lch 41).

7 *Dhá uair roimhes an lá:* De réir an *Leinster Journal* is ag a trí a' chlog ar maidin a bhain na Buachaillí Bána an baile amach. Thart faoina sé a' chlog maidin i mí Feabhra a bheadh i gceist sa tagairt seo.

16 *Hewetson:* Christopher Hewetson, a bhí ina chónaí ar Bhán Róibín (.i. Swift-sheath), i bparóiste Chúil an Ráithín. Protastúnach ba ea é seo, agus bhí a mhuintir go mór chun tosaigh ó thaobh riaracháin dlí agus chreidimh i gCo. Chill Chainnigh san 18ú céad. Is os a chomhair sin a ghlac an tAthair Ó Cathail agus a lucht leanúna an mhóid nuair a chuireadar a gcumann i gcoinne na mBuachaillí Bána ar bun. Sa séipéal Caitliceach nua a bhí an searmanas seo ar siúl, séipéal a tógadh i 1774. Trí Hewetson, leis, a fuair an cumann a gcuid gunnaí agus armlóin ón Rialtas. Deir an *Leinster Journal* gur gheall sé buíon saighdiúirí a chur ar fáil chun lucht an Chathalaigh a chosaint oíche an ionsaithe, ach nach raibh aon saighdiúirí le spáráil ag an Oifigeach Ceannais. An lá tar éis an ionsaithe tháinig Hewetson le buíon saighdiúirí agus thosaigh ar chuardach do na Buachaillí Bána. Ar an 24ú chuir sé Risteard Ó Bogaigh isteach i bpríosún Chill Chainnigh, de réir an *Leinster Journal* (' Yesterday was committed to the County Jail, by Christopher Hewetson, Esq., Richard Buggy . . . charged upon oath with being one of those desperate rioters called White Boys '). Ba dheartháir é seo leis an Seán Ó Bogaigh a maraíodh sa troid. Lean Hewetson den chuardach agus den ghabháil. Tuairiscíonn eagrán Márta 8-11 den nuachtán céanna go bhfuair sé cabhair ó bhuíon saighdiúirí chun fear dar shloinne Mason agus fear eile darbh ainm Séamas Ó Ceallaigh a thógáil gar d'Achadh Úr. Faoi dheireadh na bliana 1775 bhí Hewetson an-ghnóthach ag riaradh an mhóid nua dhíl-seachta sa cheantar, a cheadaigh ' His Majesty's subjects of whatever persuasion to testify their allegiance to him '. A leithéid de mhóid a theastaigh go géar ón Athair Ó Cathail agus a lucht leanúna, ar ndóigh, agus bhí Hewetson i láthair ar an 4/12/1775 nuair a ghlac sé dhuine déag an mhóid i mBéal Átha Ragad. Is léir as litir a scríobh Robert Butler ó Shasana go dtí an Cathalach

díreach tar éis léigear Bhéal Átha Ragad (i gcló *The Leinster Journal*, Márta 4-8) go mba aidhm mar seo a bhí ag an ' Anti-Whiteboy League '. Maíonn an Buitléarach sa litir úd go bhféadfadh Caitlicigh bheith chomh dílis don Choróin le haon duine eile, agus éilíonn sé go raibh gníomhaíocht na mBuachaillí Bána ag teacht salach ar an gcreideamh. Taispeánann seo go raibh comhthéacs níos leithne ag an eachtra i mBéal Átha Ragad, agus go raibh mórthábhacht ag baint le Hewetson sa chomhthéacs. Fuair Hewetson bás i 1785. Bhí tailte ar léas aige óna chol ceathrar, Amyas Hewetson, i mBaile Mhic Andáin, agus bhí sé pósta faoi dhó. Maidir leis féin agus a mhuintir, cf. *Journal of the Royal Society of Antiquaries of Ireland* 39 (1909) 369-92 (go háirithe lgh 385-6).

18 *Na Galla:* Ba é dearcadh an phobail go raibh an tAthair Ó Cathail iompaithe ar thaobh na nGall. Deir Seán Ó Doinn: ' He is spoken of as a priest who had secretly informed Hewetson of an intended attack on his house by the Whiteboys, and consequently been the cause of all the bloodshed '. Deir Carrigan (2, lch 122): ' He incurred very great odium by his connection with the anti-Whiteboy league '. Is dealraitheach go raibh tagairtí díreacha don Chathalach san amhrán. Fuair Ó Doinn mar mhalairt ar líne 31 an méid seo: ' Without pity for the bishops, vested priest or yellow Hewetson '. Is léir gur aistriúchán ón nGaeilge atá anseo, viz. ' Gan trua dos na heaspaig, do shagart ná Hewetson buí ', nó a leithéid. Tugann an Donnach le fios go mbíodh cosc ón gcléir ar an amhrán a rá, agus is dócha gurb é sin is cúis le tagairtí mar seo a bheith tite ar lár (cf. Aguisín B).

33 *A Mháire:* ' Mother, wife, or sister of one of the Whiteboys '.—S. Ó D.

35 Deirtí go mbeadh Oscar, curadh na bhFiann, ag gabháil de shúiste ar na Sasanaigh in ifreann.

37-40 ' The Ballyragget heroine, aware perhaps from some admirer that a party of Whiteboys were to come along a certain road, hurried by moonlight to stop them '.—S. Ó D.

40 Shamhlófaí as an líne seo gur tháinig buíon saighdiúirí gan choinne ar na Buachaillí Bána le linn an ionsaithe. Maidir leis seo, cf. *O.K.R.* 1, lch 22 (' The retreat of such a large number was most probably effected by the castle military '). I nóta doléite dá chuid, áfach, deir Seán Ó Doinn gur tháinig Hewetson leis na saighdiúirí an lá dár gcionn. Is é is dóichí a thug ar na Buachaillí Bána teitheadh ná gur tuigeadh dóibh go raibh luíochán le déanamh orthu ag na saighdiúirí.

41-44 Baineann an véarsa seo leis an dara leagan a fuair Seán Ó Doinn, ach tá siad curtha anseo toisc gur sa chomhthéacs seo is oiriúnaí iad, dar leis an eagarthóir. Dhealrófaí as an véarsa gurbh é an chéad ros piléar a tháinig ó lucht an Chathalaigh a chuir scanradh ar na Buachaillí Bána. B'fhéidir gur cheapadar go raibh buíon saighdiúirí curtha fúthu cheana sna tithe, agus go raibh a thuilleadh ag teacht óna gcúl orthu.

Tá an t-eolas breise seo faoin eachtra tugtha ag Seán Ó Doinn i nóta leis: ' The carpenter, who had been the cause of the attack on the town of Ballyragget by the Whiteboys in the year 1775, by posting threatening notices. His name was Isaac Shea. When it had been found out that he was the author of the notices

[93]

he would have been made amenable to the law if he had been taken, but he made his escape'. Fógraí i gcoinne lucht an ' Anti-Whiteboy League ' atá i gceist, gan amhras, agus dhealrófaí as seo gur mar bheartas deiridh, nuair a bhí teipthe ar iarrachtaí eile dá gcuid, a shocraigh na Buachaillí Bána ar thithe lucht an chumainn a dhó. Deir an Donnach i nóta doléite eile uaidh gur lámhachadh ochtar de na Buachaillí Bána san ionsaí. Deir sé, leis, nár lámhachadh ach duine amháin óna cheantar féin thart faoi Gharraí Ricín san ionsaí.

Tá an véarsa seo a leanas sa dara leagan den amhrán a bhailigh an Donnach, agus is cosúil gur cheart féachaint air mar mhalairt leagain ar línte 5-8:

A Bhéal Átha Ragad, is ortsa athá an saol ag trácht—
Fuil na bhfearaibh ag screadaigh chun Rí na nGrás—
Bhí an solas ag lasadh is na hOrains in íochtar á lámhach
Ag d'iarraidh díol ar an aicme nár thaithnimh le hAon-Mhac Dé !

Meadaracht: Leagan scaoilte den chaoineadh, le ceithre líne i ngach ceathrú agus cúig chéim i ngach líne. Tá amas idir an chéim dheiridh de gach líne laistigh den cheathrú i ngach ceathrú ach amháin an dóú ceann déag. Guta fada ina aonar a bhíonn sa chéim dheiridh sin. Eisceacht is ea an dóú ceathrú déag, mar go bhfuil an cheathrú sin roinnte ina dhá cúpla dar críoch (a-) agus (é) faoi seach. Is gnáth comhfhuaim idir an dara agus an tríú céim sa líne. I gceathrúna áirithe tá an chomhfhuaim seo láimhsithe go snasta, leis an nguta céanna i gceist tríd an gceathrú ar fad. Is léir go bhfuil truailliú nach beag imithe ar roinnt de na ceathrúna ó bheith á seachadadh ó bhéal go béal, ach is féidir agus is cosúil ó leanúnachas na céille nár cumadh ar dtús é go ró-chruinn ó thaobh meadarachta. Tá líne 24 neamhrialta ó thaobh líon na siollaí, agus is féidir glacadh leis go bhfuil an líne seo truaillithe. Mar an gcéanna le líne 44, ar cosúil go bhfuil na céimeanna tar éis malartú inti cé go bhfuil a líon i gceart.

Léamha na Lámhscríbhinne: teideal: ' Béal-Áth-Ragadh '. 1. Chainnich. ár. 2. tréan. 3. mbeidheadh. 4. ag a. 5. A m-Béal-Áth Ragadh. 6. grás. 7. chasar, rinneag. ria sa. 10. é'. 12. leagaig. 14. annsa. 15. ghabhan. 16. dtuite. fa. 21. leagaig. 26. sgreada. grás. 27. a lámhach. 28. a seasamh. 29. bheidh maoid. cíos. 31. n-easbuil. 32. dhiúltadh. 33. bheag. 36. chnámhna aig an. agus bliagh-aine. 38. misi. 40. tréalacaí. 41. Ragga. 42. dh'imig. le. 44. dhá dhéana. chúmh. annso sráid-sa. 45. caise. bá. greann. 46. sgreada. chean. 48. coiluighe. glao. 49. loscfach. 50. gfheiscint. 51. trís na. coir. cúis. 52. Acht. feallaig.

Malairtí ón dara leagan: 7. murder (chasair). 10. géim (éamh). 12. mbrí (gcroí). 15. galar (amaill). 16. fé mhaidin ansa. 24. sliochd (aon rud). 29. chíos. 30. scriobhte. 31. ghuil-sa (chorsa).

3

Amhrán earcaíochta é seo a bhíodh ag na hÉireannaigh Aontaithe i gCo. Chill Chainnigh i 1797. Níor éirigh le Seán Ó Doinn ach trí véarsa den amhrán a bhailiú, cé gur chuala sé go raibh cúig véarsa sa leagan a bhíodh á chanadh ag Seán Mac Aogáin, gabha a chónaíodh i bPoll an Chapaill. Baintreach darbh ainm Johanna Laurence, ó Pholl an Chapaill, a thug an leagan seo do Sheán. Dúirt sí sin gur seanduine a bhí ina chónaí gar do chathair Chill Chainnigh a chum an t-amhrán. Is léir as an gcomhthéacs gur sa bhliain 1797 a cumadh é, agus deir Ó Doinn go raibh fonn bríomhar ag gabháil leis. ' The favourite of the United Irishmen of this quarter ' a thug sé ar an amhrán.

' The Kilkenny Crow was supposed to have been a wise crow which early in the year of Trouble had gone over to Paris to fend for herself, and returning with an apprehension of danger thought it better to shun the woods and select the safest place for the nest. I'm told the crows of her native rookery had broken down the nest in the turret, but the intrepid crow built it over again. Long before '98, *seanchaís* in speaking of the presages of future war in Ireland used to mention the prophecy " *Beidh nead aige préachán i mbarr chaisleán mór Chill Chainnigh!* " And, when the crow had actually built the long-awaited nest, the people everywhere exclaimed with wonder: " *Ó, thá nead ag an bpréachán i mbarr chaisleán mór Chill Chainnigh—is gearr uainn an cogadh!* " I am told that numbers from remote districts went to Kilkenny to satisfy their eyes of the fulfilment of the " ould prophecy " in this respect '—S. Ó D.

Tá an dá rann seo a leanas de chuid ' Lageniensis ' (.i. Seán Ó hAnluain), mar aon le míniú, i gcló sa *Dublin University Magazine* 57 (1861) lgh 501-2:

The cawing rook shall build her nest on Ormonde Castle's pinnacle,
Ere Irish blood shall flow from bands divided and inimical:
Twelve moons shall fill their orbs before fulfilment of that omen,
And then those parted bands shall meet, in battle fields, as foemen.

So ran the Seer's prediction, and the peasant long had sought her,
The messenger of discord, and the harbinger of slaughter;
When ninety-seven brought the sign of death and desolation,
And ninety-eight conviction spread, around a mourning nation.

Meadaracht: Sampla atá anseo den neamhaicleach. Tá ocht líne i ngach véarsa, agus iad ar an bhfoirmle $2(A + B) + 3A + B$. Trí chéim atá in A, agus dhá chéim in B. Níl ceangal amais ach idir na céimeanna deiridh sna línte. Is iad atá sna céimeanna deiridh sin tríd síos ná A = (a--) nó (a-), agus B = (á-). Is léir gur truailliú is cúis le (a-) a bheith le fáil in ionad (a--) i línte áirithe.

Léamha na Lámhscríbhinne: teideal: ' Preachán Cill-Chainne '. 1. Sé. 2. a tráchd. 4. Paris. 6. Nó bhfuil. 7. thabharfaich. 8. chrádhag. 11. greada. 14. na catha. 15. Riamaoid. 17. seanuídhe. 18. Cnoc. 22. tháinigh. calaith. 23. annsa. tarngaire.

4

Seán Ó hÉalaí óna cheantar féin a thug an t-amhrán seo do Sheán Ó Doinn. Mar is léir, baineann an t-amhrán le bliain a 1798, agus is dócha gur sa bhliain sin a cumadh é.

1 *'Dén:* = ' Cad é an '.
Na fáidhí ar Shliabh na mBan: ' Evidently refers to the United Irishmen of Tipperary and other districts, who since the commencement of hostilities in Wexford had been preparing to encamp on *Sliabh na mBan*, but the lighting

of the war-wisp three nights previous to the night fixed upon for the dread signal created distrust and confusion, and confused the plans of Captain Power and the other insurgent leaders '.—S. Ó D.

2 *Thar lear:* ' Literally means " over sea ", but it must mean " over land " or rather over the border in the sense of the Wexford bard '.—S. Ó D.

5 *Ins an Eadáin* (Ls viz. ' ins na hEadáin '): ' Italy '.—S. Ó D. Is léir gur thuig an tÉalaíoch an focal mar leagan iolra de ' Eadán ', ach seanfhoirm d'ainm na tíre sin is ea ' an Eadáin '. Bhí feachtas buacach Napoleon ar siúl san Iodáil 1796-7.

6 *An tImpire:* Impire na hOstaire.

7 *News:* An nuachtán *Saunders' News-Letter,* b'fhéidir, nó aon nuachtán go ginearálta.

10 ' It may be inferred from the third verse that, when the lamp of hope had gone out and the bitter end had come, that members of the United Irishmen fled to France and to Spain '.—S. Ó D.

12 *Fiodh na gCaor:* Ls ' Bhíneagar '.
Ar shliabh le cáil: Ls viz. ' ar Shliabh Leacáil '.

13 Ar an 5ú lá de Mheitheamh 1798 a troideadh Cath Ros Mhic Thriúin. Titeann Féile Shain Seáin ar an 24ú Meitheamh, ach is léir go bhfuiltear ag glacadh le Meitheamh ar fad mar thréimhse iomlán na féile sa tagairt seo. *An news dá léamh:* Is cosúil nach do nuachtán atáthar ag tagairt anseo, ach don drochscéala a bhí á chraoladh ar bhéalaibh daoine anoir.

14 *Ros Mhic Thriúin:* ' Pronounced by the peasants " Rus-ma-crew ".'—S. Ó D.

15. Bhí ag éirí go maith leis an réabhlóid i gCo. Loch Garman, roimh an gcath seo, ach ó bhriseadh an lae sin amach bhí sí ag dul ar gcúl go mór. ' A day that was to prove momentous in Irish history ' a thugann Thomas Pakenham air (*The Year of Liberty* (London 1969) lch 225). Maraíodh thart faoi thrí mhíle de na réabhlóidithe sa chath, i gcomparáid le 91 duine ar fad d'fhórsaí an rialtais (Pakenham, op. cit., lch 238). Léiríonn an tagairt do ' clanna *Luther* ' gur shamhlaigh údar an amhráin seo gné reiligiúnda leis an scéal, d'ainneoin go mba Phrotastúnach é ceannaire an airm réabhlóidigh sa chath, Bagenal Harvey.

16 Bhí an-dua ag na ceannairí aon smacht a chur ar a gcuid fear san éirí amach, agus bhí an mheisce ar cheann de na fadhbanna is mó ón taobh seo de (cf. Pakenham, op. cit., lgh 213, 220-1).

Meadaracht: Leagan den amhrán le línte ceathairchéimeacha atá anseo. Tá amas idir an chéim dheiridh i ngach líne laistigh den cheathrú. Sa chéad cheathrú is é atá sa chéim seo (a), sa dara ceathrú (é), sa tríú ceathrú (á), agus sa cheathrú ceann (é). Tá comhfhuaim idir an chéad agus an dara céim i ngach líne, ach amháin i línte 5-6 mar a bhfuil an chomhfhuaim idir an dara agus an tríú céim. Athraíonn cáilíocht an ghuta sa chomhfhuaim seo ó líne go líne, áfach, rud a fhágann gur mar leagan scaoilte den mheadaracht úd a cumadh an dán seo.

Léamha na Lámhscríbhinne: teideal: ' -adh Rosmha ' Criú(mhthain) ' (is cosúil gur ' Bualadh ' a bhí san fhocal a bhfuil a cheann bainte de ag stracadh sa leathanach). 1. -n (is cosúil gur ' Déan ' a bhí ann). fáiguídhe. 2. nach. 3. ba dh'on. fiarach.

[96]

dílios. 4. -o (is cosúil gur ' Do ' a bhí i dtús na líne). Airm dh-Sheórse. 5. annsna
H-eadáin. 7. annsa. léigh. 9. fa na. na. 10. na ndiaig sud an bhFrainc no an
Spáinn. 12. Cnuic Bhinnéagar. 13. léigh. 14. Ros mac' Criú'. 16. trasgraig.

5

Amhrán faoi dhuine de na Buachaillí Bána nó na ' Rightboys ', is dealraith-
each, a cuireadh i bpríosún i bPort Laoise. Níl aon eolas i nótaí Uí Dhoinn faoi
ócáid ná tréimhse.

3-4 B'fhéidir gurb é atá i gceist ná go dtéadh an t-athair de shiúl cos go Príosún
Phort Laoise agus ar ais gach seachtain chun a mhac a fheiceáil nó go bhfuair
an tocht bróin an lámh in uachtar air. Más ea, ba ó cheantar éigin a bhí
leathchéad éigin míle ó Phort Laoise don phríosúnach, deisceart Cho. Chill
Chainnigh, cuir i gcás. Tá suíomh mar é seo le léamh as línte 5, 13-14, chomh
maith. Sa leath theas is mó a bhí an chorraíl le linn eachtraí Lúnasa-Meán
Fómhair na bliana 1786 i gCo. Chill Chainnigh. Maidir leis an gcorraíl seo,
cf. James Donnelly Jr. in *Studia Hibernica* 17-18 (1977-8) lgh 189-90.

5 *Talamh an Éisc:* Chuaigh cuid mhaith daoine ó dheisceart Cho. Chill Chainnigh
ar imirce go dtí an tír sin ó dheireadh an 18ú céad amach.

7-8 Dhealrófaí as na línte seo gur thréig a chompánaigh é, agus gurbh as ceantar
níos faide ó thuaidh ná an príosúnach iad.

11 ' In the rural districts, to be called an informer, a turncoat, a cow-, horse-, or
sheep-stealer, is regarded as a stain on the character of a family that the
hand of time could not efface nor the waves of the ocean wash from the rustic
escutcheon for seven generations '.—S. Ó D.

13-16 ' The jail of Kilkenny or Clonmel, in the opinion of the peasants, was far
prefereable to that of Maryborough; and equally dreaded was a Queen's
County Jury. Old people used to say that unless his case were " too bad ",
or untenable, a prisoner in the dock either at Kilkenny or Clonmel assizes
would look around with hope and confidence, fixing his eye here and there on
Grand Jurors remarkable for clemency and all those qualities of head and
heart that endear the good and great; but that a culprit similarly arraigned
before a Maryborough Grand Jury would cast down his eyes in utter despair'.
—S. Ó D.

Meadaracht: Amhrán scaoilte, le cúig chéim i ngach líne. Tá comhfhuaim idir
roinnt mhaith de na céimeanna inmheánacha, ach níl aon cheathrú saor ó locht-
anna ón taobh seo. An chéim dheiridh i ngach líne amháin atá beacht ó thaobh
amais laistigh de gach cheathrú. Céim aonsiollach atá sa chéim dheiridh seo.
Is é atá ann sa chéad cheathrú (é); sa dara ceathrú (ú); agus sa tríú is sa cheathrú
ceann (á). Is rí-dhócha go raibh a thuilleadh ceathrúna sa déantús ar dtús.

Léamha na Lámhscríbhinne: 1. Samhra. mháthairín. 2. do'd tathair. tarraint.
3. dafithchiod. 4. briseag. na. 5. chuadhair. 6. bhúainn. 7. thuaig. 8. fa. éaluig.
bh-uait. 9. cuireag. 10. leanbhuídhe. bhás. 11. caoira. 12. athchuinghímsa.
chaise. chúighean. 13. Sé. Cainnich. 14. bh-uait. 15. foraoir. 16. ndíonsúnín.
airm a Ríogh.

6

Níl aon eolas cinnte le tabhairt ag Seán Ó Doinn faoi chúlra an amhráin seo. Dúirt an té a thug na focail dó gur i gcomharsanacht Chill Mhic Bhúith a bhí an ' Bealach ', ach is é is dóichí nach aon áit faoi leith atá i gceist. Is léir as an gcomhthéacs gur dream mar na Buachaillí Bána ba ea ' Buachaillí an Bhealaigh ', agus tharlódh go maith go gciallaíonn an t-ainm na buachaillí a bhíonn sa siúl istoíche i mbun gníomhaíochta i gcoinne na n-údarás (cf. línte 4, 12).

2 Níl an focal ' ar ' sa Ls, ach ní bheadh aon chiall leis an líne gan é. Bhí rátaí arda cíosa ar cheann de na gearáin is mó ag na Buachaillí Bána agus a leithéidí de ghluaiseachtaí anonn go 1838 nuair a cuireadh na deachuithe ar ceal.

5-8 Tháinig méadú mór ar líon na mBuachaillí Bána a cuireadh thar loch amach go dtí na daorchoilíneachtaí san Astráil ó dheireadh an 18ú céad amach.

10 *Achtanna dúbailte:* Ritheadh sraith d'achtanna ó 1816 amach i gcoinne gluaiseachtaí mar na Buachaillí Bána, cf. Galen Broeker, *Rural Disorder and Police Reform in Ireland,* 1812-36 (Londain 1970). B'fhéidir gurb iad na ' hachtanna dúbailte ' atá i gceist an ' Insurrection Act ' de chuid na bliana 1796 agus an ' Arms Act ' de chuid na bliana 1807. Thug dúbailt an dá achta seo cead a gcinn do na húdaráis agus chuireadar cearta an ghnáthphobail ar ceal go hiomlán, ar an gcuma go raibh an-úsáid á baint astu anonn trí na 1810í agus na 1820í.

15 *Bliain a trí:* An bhliain 1823, is cosúil. I 1822 agus 1823 chuathas i mbun ghéarfheachtais threascraigh i gcoinne lucht na ndeachuithe. Bhí dlúthbhaint ag na himeachtaí seo leis an tslí ar chuaigh tairngreachtaí ' Pastorini ' i bhfeidhm ar aigne an phobail. ' Pastorini ' ba ea an t-ainm cleite a d'úsáid Charles Walmesley, a scríobh leabhar dar theideal *The General History of the Christian Church* sa bhliain 1771. Saothar apacailipseach a bhí ann, agus tairngríodh ann go ndítheofaí an Protastúnachas sa bhliain 1825. Má tá baint ag an gcreideamh seo le hábhar anseo, mar sin, is glaoch chun airm sa bhliain 1823 atá sa dán chun go dtosófaí ar fhíoradh na tairngreachta i ngníomh. Tá anáil ' Pastorini ' ar chuid mhaith d'fhilíocht pholaitiúil na Gaeilge sa chéad cheathrú den 19ú céad (cf. D. de hÍde, *Abhráin agus Dánta an Reachtabhraigh,* (Baile Átha Cliath 1933) lch 58; James Fenton, *Amhráin Thomáis Ruaidh* (Baile Átha Cliath 1922) lch 95; agus Gearóid Ó Tuathaigh, *Ireland before the Famine* (Baile Átha Cliath 1972) lgh 67-8.

20 *An teampall:* .i. an Eaglais Chaitliceach.

Meadaracht: Crot an amhráin atá ar an déantús go bunúsach, le cúig chéim i ngach líne. Amas idir gach céim sa líne laistigh de gach ceathrú is aidhm don chumadóir, ach níl sin bainte amach aige go hiomlán in aon cheathrú. B'fhéidir go raibh an mheadaracht níos cruinne sa leagan bunúsach. Tá amas bainte amach ag an gcumadóir sa chéim dheiridh de gach líne sa cheathrú i gcónaí. Céim aonsiollach atá sa chéim dheiridh sin aige. Sa chéad dá cheathrú is í an chéim sin (é). Sa tríú ceathrú (u) is ea í. Sa cheathrú tá (í) aige; sa chúigiú ceann (i); agus sa séú ceann filleann sé ar (é) arís.

Léamha na Lámhscríbhinne: teideal: ' Buachaluídhe an Bhealach '. 1. bhealach. 2. ar<ø. mná. rúcaig. 3. thógeadh. 4. inneóseach. madain. gabhaig. 6. dlúith. 8. madain. 9. bheala'. 10. d-tógain. fao. 13. bheala'. 'sé'n. bheirim-sa. 16. thar a d-tiocfhaig. a fómhar. 17. gabhmís. 19 Ó siad. 20 gceapaig. bparrathas. astig. 23 ceannasach. chleachta. 24 ndéag.

7

Baineann an t-amhrán seo leis an gcath a bhí idir na póilíní agus pobal na háite ag Carraig Seac, Co. Chill Chainnigh, ar an gCéadaoin, an 14ú Nollaig 1831. Bhí prócadóir darbh ainm Éamonn de Buitléir ag seirbheáil próiseanna de bharr deachuithe a bhí amuigh ag an Urramach Hans Hamilton, ministir Protastúnach Chnoc an Tóchair. Bhí muintir na háite go mór i gcoinne deachuithe a dhíol le Hamilton, a bhí tar éis suim na ndeachuithe a mhéadú ó £350 to £1,700 sa bhliain. Ar an ábhar sin, bhí garda cosanta de phóilíní in éineacht leis na mBuitléarach agus é ag seirbheáil. Bhailigh slua ag iarraidh greim a fháil ar an bprócadóir. Nuair a chuaigh na póilíní i mbun a chosanta, d'éirigh idir an slua agus iad. Thart faoi dhaichead nóiméad a mhair an comhrac, agus nuair a bhí sé thart bhí coirp dhá dhuine déag de na póilíní sínte ar an talamh. Ba iad siúd an tArd-Chonstábla James Gibbons, agus na Fo-Chonstáblaí John McGlenon, Joseph Whitigar, Edmond Boyle, James Dixon, Thomas Eagan, William Budds, John Wright, Robert Fitzgerald, John Fitzpatrick, Charles Carroll, agus John Priscott. Theith an chuid de na póilíní a bhí ábalta ar sin a dhéanamh. D'éag seisear cilc acu dá gcréachtaí go gairid ina dhiaidh sin—na Sáirsintí Colohan agus Hayes, agus na Fo-Chonstáblaí Abraham Deacon, Michael Grace, William Webb agus William Finigan. D'éag an prócadóir ar an gcuma chéanna. Maraíodh triúr de mhuintir na háite san eachtra, Séamas Ó Treasaigh, Pádraig de Paor, agus Tomás Ó Faoláin. Tá roinnt mhaith tagairtí ag Amhlaoibh Ó Súilleabháin do chath Charraig Seac agus ar lean é (de Bhaldraithe, lgh 93, 97, 102). Maidir le cuntais ar an eachtra, cf. Joseph Clohosey, ' The Battle of Carrickshock ', i Maher, lgh 123-6 (i gcló arís in *O.K.R.* 6 (1964)); Edmond V. Drea, *Carrickshock: a History of the Tithe Times* (Port Láirge 1924); agus *The Freeman's Journal* 17/12/1831.

Ó Thomás Ó Cathail agus Micheál Ó Cathail, deartháireacha an fhile a chum an t-amhrán, Séamas Ó Cathail, a bhailigh Seán Ó Doinn na focail. Is féidir glacadh leis, mar sin, go bhfuil an téacs dílis go leor don bhuncheapachán.

Tá an t-amhrán i gcló cheana ón lámhscríbhinn seo ag R. A. Breathnach in *Éigse* 1 (1939) lgh 265-80, mar aon le mion-nótaí ar an gcanúint.

3 *An chléir úd:* an chléir Phrotastúnach, ar dhóibh na deachuithe.

7-12 Tagairt shiombaileach atá sa tarbh seo don bhuíon a thug faoi lucht na ndeachuithe. Maidir leis an tarbh buile a bhí tráth i gCill Chéise, cf. uimhir 25 sa chnuasach seo. Is dealraitheach gurb é amhrán macarónach seo Dhónaill Rua Uí Riain an fhoinse atá leis an tagairt.

14 *Carraig an tSnámha:* i bparóiste Chill Mogeanna.

17 *Ó Conaill:* Dónall Ó Conaill (1775-1847), ceannasaí na Cúise Caitlicí. Bhí sé ina Chonsailéir Speisialta i mbun a gcosanta siúd ar cuireadh marú Charraig Seac ina leith ar ball (cf. uimhir **8** sa chnuasach seo).

[99]

20 .i. ' Méadóidh sé teacht isteach na nGael bocht ó luach réil go luach coróin-each (sa ló) '.

21 *Hamilton:* bhí Hans Hamilton (1777-1839) ina mhinistir ar Chnoc an Tóchair ó 1801. D'fhág sé an áit tar éis chath Charraig Seac, agus níor fhill sé choíche (cf. James B. Leslie, *Ossory Clergy and Parishes* (Inis Ceithleann 1933) lch 314).

25-27 D'éalaigh ceannaire an taoibh Ghaelaigh sa chomhrac, Éamonn Ó Catháin, ar bhád go Meiriceá ó Phort Láirge, agus b'fhéidir gur tagairt fholaigh don mhéid sin atá sna línte seo.

27 *Aicme:* na ministirí Protastúnacha.

40 *Liútar:* Martin Luther (1483-1546), fundúir an Phrotastúnachais.

42 *An méirleach:* Éamonn de Buitléir, is cosúil.

48 *Hatchets:* Imeartas focal atá i gceist anseo ar shloinne duine de na póilíní a bhí sa chath, William Hatchett. Ó Bhaile an Phoill ba ea é seo, agus bhí deich mbliana caite aige sna póilíní. Briseadh a ghiall sa chath (cf. *Kilkenny Journal* 25/7/1832).

49 *Buachaillí bána agus uaithne:* lucht éirí amach i gcoinne an dlí Ghallda.

50 *Rí Séamas:* Séamas 2 (1633-1701), Rí Shasana, a raibh na Caitlicigh ag troid faoi nuair a bhris Rí Liam orthu i gCath na Bóinne sa bhliain 1690. ' Séamas an Chaca ' a thugadh seanmhuintir Osraí le drochmheas air.

51 *Major:* tagairt don Ard-Chonstábla Gibbons, b'fhéidir. Maraíodh é sa chath.

52. *Seán an buailteoir:* Is deacair a rá cé atá i gceist anseo. Bhí beirt Sheán (Seán Ó Riain agus Seán Ó Dálaigh) orthu siúd ar cuireadh an marú ina leith ar ball. Luann Edmund V. Drea (lch 25) an traidisiún gur tháinig fear a chonaic iompar barbartha na n-údarás i Loch Garman i 1798 ar an láthair agus gur mharaigh sé a raibh de phóilíní gonta ar pháirc an áir ar eagla go mbeidís ina bhfinnéithe ar ball. ' Seán an Bhacaigh ' a thugtar ar an bhfear seo i mbéaloideas na háite.

53. *Baxter:* duine de na póilíní a bhí páirteach sa chomhrac. Deir Seán Ó Doinn gur le beairic Bhearna na Gaoithe a bhain sé.

Prescott: an Fo-Chonstábla John Priscott, a maraíodh sa chath.

Eagan: an Fo-Chonstábla Thomas Eagan, a maraíodh sa chath.

54 *Fear na citations:* .i. Éamonn de Buitléir, an prócadóir.

55 *Budds:* an Fo-Chonstábla William Budds, a maraíodh sa chath.

Meadaracht: Ochtfhoclach atá san amhrán seo. Tá línte 5, 29, 41, agus 49 neamhrialta. Tá an mheadaracht snasta go leor sa chuid eile de na línte, de réir an phatrúin 4 (A + B) i ngach véarsa. Tá aicill ón gcorr go dtí an réidh go seasamhach tríd síos, ach amháin sna línte atá neamhrialta. Dhealrófaí as seo go raibh gach líne rialta sa bhunleagan. Is iad na céimeanna aiceanta tríd síos ná A = (é-), agus B = (ó). De bharr fhoghraíocht na canúna, is féidir glacadh le siollaí in ' á ' agus ' ú ' mar leaganacha den chéim (ó) seo. Tá roinnt comhfhuaime i gceist, ach is cinnte nach raibh seo cruinn sa bhunleagan agus nár chuir an file aon stró air féin maidir léi.

Léamha na Lámhscríbhinne: 2 crochaig. deasga. adhbhar. 3. ceapaig. 4 aoin'e. sóirt. 5 rathmus. ngreadam. 6 eachinúighe. 8 leageach. góir. 10. n-geabhdis. 12 con-airc. tarruint. 13 phreabdar. 14 a Tná. 15 m-beidheansa. dhéana. 16 dean fear díóbh a bhfeár. 17 aigi. a n-Éireann. 18 Caithfis. geille. 19 Leagtha sé. fairseang.

20 rael. cróin. 21. aigi. trasgaire. 22 raoba. t-saor. 24 ria's. déan. 25. Chuadh. 26 Sacsana. 27 na Gaodhaluibh. 28 tuguidhe. níos bhus mó. 30 raoba. 32 ligúidhe. dhaora. annsa Cúirt. 33 Léighthead. na méirluig. 34 Cillúireach. 36 aonach. mbheidheach. aca. spóirt. 38 Baile-thigúinn. ndeóig. 39 codla. dúsacht. 40 gleódh. 43 gheárach. 44 geallamsa. maolaig. gleó. 45 aon'e 'gaibh. gaoileag. 46 Cuiridsa. g-céil. 47 ar a mbearla. 48 ghlaodhfuin. 49 bhuachailúighe. 51 trasgart. thugag. 55 sáthaig. 56. le athas na sgéile bí maoidne ag-óil.

Tá úsáid bainte ag an eagarthóir as leagan níos luaithe a scríobh Seán Ó Doinn síos, chomh maith. Tá an t-ord seo a leanas ar na véarsaí sa leagan seo: 1 + 2 + 3 + 6 + 7 + 5 + 4. Leagan garbh a bhí anseo, agus d'fhéach an Donnach ar an dara ceann mar an leagan ceartaithe. Tá roinnt malairtí suntasacha i gceist, mar sin féin. Seo liosta díobh: 3 am úd. 4 scrúdaigh (dh'ordaigh). 6 eacha duibhe caola. 7 casaig (tharla). 8 thrasgaireoch (leagfadh). 9 gh'aodhaireamh. 11 ó'n spéir. 12 méirlaig (géarchoin). 15 trasgart (treascradh). 19 Gaoidhil bhochd (Ghaelaibh). 21 againn (aige). 22 thaon toil (saorthoil). 25 thair an fhairge tonnach (ar na tonnta taoscach'). 27 dhídúig (ídíodh). cealg air Gaoidhil bhochd (creachadh na nGael bocht). 28 aontacht (iontabh). go deó (níos mó). 29 Preabaguidhe (Eirígí). 'ur (bhur). 31 tugagúidhe (ligí). doibh (díobh). go deó (insa chúirt). 33 Inneosad feasda díobh (Léifead díbh feasta). 36 aguinn (acu). 39 dúisacht. 40 ní díe lin a m-brón (ní brón linn a ngleo). 42 na méirlig. 43 le faobhar iad (go faobhrach). 44 maol iad (maolaíodh). 45 Gaoidhilig. 46 cuirimse. 48 do (a). 50 ghéill mé dá nglóir (ghéilleas dá nglór). 51 cualas (chuala mé). 54 a shnúadh (an tsnó). 56 a scéal-so.

Tá dhá phíosa thruaillithe ón mbéaloideas curtha i gcló ag R. A. Breathnach (loc. cit. lgh 273-4). Sa chéad phíosa acu tá véarsa ocht líne le haithint mar chumasc de línte 37-40 agus línte 29-32. Ó Shéamas Breathnach, Sliabh Rua, a fuair sé é sin. Fuair sé an píosa seo a leanas ó sheanduine darbh ainm Maitiú Ó Broin ó Thulach Uí Bhroin, i bparóiste Ráth Chúil, tamall ar an taobh thoirthuaidh de chathair Chill Chainnigh:

> Bhí ansan *Kilmoganny* is *Pilltown* gan amhras,
> Bhí Bearna na Gaoithe agus Móin Choinn an óir—
> Agus gach píléirín smeartha a thug a anam ón scréip sin
> Ní raghaidh siad chun Cill Chéise ag déanamh éirleach níos mó !
> Chuaigh scéal ar an *bhattle* ar an *packet* as Éire
> Chun Talamh an Éisc as Móin Choinn an óir—
> Agus gach píléirín smeartha a thug a anam ón scréip sin
> Ní raghaidh siad chun Cill Chéise ag déanamh éirleach níos mó !

Is léir gur píosa an-truaillithe é sin, ach díol spéise is ea é ar a shon sin. Tá na línte seo ó Shéamas Breathnach, Sliabh Rua, i Roinn Bhéaloideas Éireann (Ls S 844, lch 186):

> *Kilmoganny* agus *Pilltown* gan amhras,
> Baile Hugúin agus Móin Choinn, mo ghleo !
> Is ag Carraig Seac 'chuadar a codladh gan dúiseacht—
> An aicme seo Liútair, is ní trua liom a mbrón !

[101]

Agus, arís, an méid seo ón bhfear céanna:

Éirígí in bhur seasamh is ardaígí bhur gclaimhthe
Bíodh príosúin dá réabadh is gach aoinneach ina ngleo
Scaoil chun an bhaile le fearaibh Chill Chéise
Is ná ligí d'aon oidhre bheith daortha go deo!

Is léir as na línte sin gur cumadh na leaganacha bunaidh díobh tar éis roinnt fear a bheith tógtha ag na póilíní i ngeall ar an eachtra.

8

'Ar saoradh fearaibh Chill Chéise'.—S. Ó D.

Scaoileadh saor i gcúirt Chill Chainnigh ar an 24ú Iúil 1832 na fir a raibh marú na bpóilíní agus an phrócadóra ag Carraig Seac curtha ina leith. Fuarthas neamhchiontach iad ar fad. Orthu bhí Tomás Ó hAogáin, Liam Voss, Seán Ó Dálaigh, Risteard Ó Grianáin, Liam Breathnach, Pádraig Ó Duibhir, Seán Ó Riain, Éamonn Ó Dúgáin, Tomás Ó Riain, agus Pádraig Mac Cárthaigh. Tuairiscíonn Amhlaoibh Ó Súilleabháin an oíche sin ina chín lae: 'Táid na mílte tine chnámh ar ardaibh Éireann, um mhórthimpeall ar feadh mo radhairc. .i. ar Shliabh na mBan; na céadta tine ar Shliabh Díle, ar Shliabh Breathnach, ar Shliabh Ardach, ar chnocaibh na Crannaí, ar gach cnoc agus sliabh i gceithre contaeibh .i. i gContae Chille Cainnigh, i gContae Thiobraid Árann, i gContae Phort Láirge, agus ar Charraig Seac gan chontúirt'. Ar an dul céanna, tuairiscíonn an *Kilkenny Journal* ar an 28/7/1832 go raibh tinte cnámh ar lasadh i gcontaetha Phort Láirge, Thiobraid Árann, Loch Garman, Cheatharlach, agus Laoise, mar aon le Co. Chill Chainnigh, an oíche úd. Maidir le cuntas ar imeachtaí na cúirte, cf. *Freeman's Journal* 10/8/1832; *Kilkenny Journal* 20-25/8/1832; de Bhaldraithe lgh 97, 102.

Ó Thomás agus Micheál Ó Cathail, deartháireacha an fhile a chum an t-amhrán, Séamas Ó Cathail, a bhailigh Seán Ó Doinn na focail. Is féidir glacadh leis, mar sin, go bhfuil an téacs dílis go leor don bhuncheapachán. Tá an t-amhrán i gcló cheana ón lámhscríbhinn seo ag R. A. Breathnach in *Éigse* 2 (1940) lgh 89-91, mar aon le nótaí.

11, 27 *Dónall:* Dónall Ó Conaill (1775-1847), a bhí mar Chonsailéir Speisialta i mbun cosanta na bhfear sa triail.

13 *An tsraith teampaill:* na deachuithe.

19 *Oíche an adhmaid:* Dhealródh sé gur tagairt atá anseo do chead a bheith ag na tionóntaithe ar eastát na mBuitléarach i nGarraí Ricín a ndóthain adhmaid a bhaint dóibh féin lá áirithe gach bliain. Bheadh oíche mhór acu nuair a bheadh an t-adhmad bailithe isteach (cf. Breathnach, *loc. cit.*, lch 91).

24 An 24ú Iúil is ea Oíche Fhéile Séamais, agus ba ar an lá seo a scaoileadh saor na príosúnaigh. Oíche mhór thinte cnámh is ea Oíche Fhéile Seáin (an 23ú Meithimh), ar ndóigh. Tá an file ag maíomh anseo gur mó de thinte cnámh atá ar lasadh ar Oíche Fhéile Séamais i mbliana!

26 *Hunt:* William H. Hunt, ó Sheireapúin, Giúistís Síochána, a bhí i gceannas ar an gcoiste sa triail.

[102]

Meadaracht: Ochtfhoclach atá san amhrán seo. Tá líne 31 neamhrialta. Tá an mheadaracht an-snasta sa chuid eile, de réir na foirmle 4(A + B). Tá aicill ón gcorr go dtí an réidh tríd síos, lasmuigh de línte 31-32. Sa chéad trí véarsa, is iad na céimeanna aiceanta ná A = (é-), agus B = (á). Tá athrú sa cheathrú véarsa, mar seo: A = (ú-), agus B = (ai) sa chéad leathvéarsa is (ó) sa dara leathvéarsa. Tá comhfhuaim go rialta idir céimeanna sna corrlínte, ach amháin i línte 17, 23. Is léir as an amas agus as an gcomhfhuaim gur beag athrú atá tagtha ar an struchtúr ón gcrot inar cumadh é, agus is féidir gur malartachas d'aon ghnó atá ar línte 31-32.

Léamha na Lámhscríbhinne: 3 do leaba. achd. 4 Achd. réig. 5 Phreab. 8. so. 9 sgiúrsa. 10 cá'il. phléig. 11. dh-eirig. 12 'na déigh. 14 déagh-thoil. meadhair. 15 umaire. aig. 16. saidhbhir. 17 ritheadh. meire. 18 shéide air bán. 20 ruith. chó éasgaidh. teinte cnámh. 22 raoba. air. 24 buadhaig. Oidhche eil Séamus air Oidhche eil Seáin. 25 dhá cuireadh. slúaighthe. 28. chúm. ón gréim. 31 thá'r ndaoine.

9

Níl aon eolas tugtha ag Seán Ó Doinn faoi fhoinse an amhráin seo aige. Is léir gur mar cheiliúradh ar bhua Dhónaill Uí Chonaill i dToghchán an Chláir, mí Iúil 1828, a cumadh é.

1 *An Fhéinn seo:* Fianna Éireann, atá ag filleadh chun ceart a bhaint amach don tír faoi chló ghluaiseacht Uí Chonaill. Is é Dónall Ó Conaill féin an Fionn Mac Cumhaill nua.

2 .i. ag éirí as an uaigh.

5-12 Na tiarnaí talún atá i gceist, dream poimpiúil sprionlaithe a bhíonn ag ardú an chíosa agus ag cur na dtionóntaithe as seilbh.

14 *An dlí:* Dlí an stáit atá i gceist. Creideann an file go mbeidh Dónall ábalta ar cheart a bhaint amach do na tionóntaithe trí leasuithe a thabhairt i gcrích sa dlí. Ar an gcuma sin, bheadh an dlí ag cosaint na dtionóntaithe, agus is iad na tiarnaí talún a bheadh á bhriseadh.

16-17 Beidh Dónall agus a bhuíon ag cur an dlí ar na tiarnaí talún agus ag baint sásaimh astu. Mórchumas Dhónaill mar dhlíodóir is bun leis an tagairt seo, ní foláir.

18 *Cluain Uisneach:* Is dealraitheach go mór gur leagan truaillithe atá anseo, bunaithe ar mhacalla de ' Clann Uisnigh ' sa scéalaíocht. Tagairt mar ' Cluain Meala ' is fearr a d'oirfeadh don chomhthéacs anseo. Thóg Cromail Cluain Meala tar éis léigir cháiliúil i 1650.

19 *Doire Cholmcille:* Léigear Dhoire sa bhliain 1689, mar ar briseadh ar an arm Caitliceach i gcogadh an dá rí.

20 *Caisleán Chille Cainnigh:* Thóg Cromail Cill Chainnigh sa bhliain 1650, rud a chuir deireadh le Comhdháil Chill Chainnigh a raibh an Caisleán mar shuíomh di.

21 Bheadh sé ina ár mura ngéillfeadh na Gaill an bua do Dhónall Ó Conaill i dToghchán an Chláir, dar leis an bhfile.

[103]

22 *Béal Átha Luain:* Thóg fórsaí Rí Liaim an baile sin i 1691, baile a raibh tábhacht mhór leis ó thaobh na straitéise. Tá an file á áireamh seo mar bhriseadh eile ar na Caitlicigh.

23 .i. Bhuaigh Dónall an Toghchán d'ainneoin ar deineadh d'iarrachtaí ina choinne. Tá comparáid i gceist anseo leis an arm Gaelach ag Béal Átha Luain. Sheas an t-arm úd go daingean misniúil i gcoinne an namhad ar feadh deich mí. Ach b'fhearr éacht Dhónaill ná an éacht sin féin, mar gur rug sé sin an bua leis. Tá an file ag leagadh béime ar an mbua sa chomhthéacs seo. Dá fheabhas an troid a cuireadh suas don chúis Chaitliceach sna cásanna eile atá luaite aige, ba í an teip a dtoradh ar fad.

24 *A bhfoireann:* An fhoireann atá ag lucht leanúna Dhónaill.

28 *An Chloch Liath:* ' The castle of Cloghlea, boldly situated on the river Funcheon, which has stood several sieges. It is near Moorpark, seat of Lord Mountcashel, County Cork '.—S. Ó D. Is dealraitheach go bhfuil an ceart ag an Donnach anseo. Maidir le léigir ar an gcaisleán seo le linn Chromail, cf. C. B. Gibson, *History of the County and City of Cork* 2 (London 1861) lgh 72-3.

30 *Cúil Bhreaca an Chláir:* leasainm ar lucht leanúna an Chonallaigh.

Tá údar eile ar fad tugtha ag Seán Ó Doinn leis an amhrán, ach is ar éigean atá mórán dealraimh leis. Seo mar atá sin: ' Coolbrackenclare castle was originally built and occupied by some gentleman. In the last century, a widow was the occupant of the old castle and rich lands adjoining, but a wealthy farmer named Kane succeeded in getting the widow and a family of young children turned out, although owing at the time neither rent nor arrears. And it was to right this wrong in their own way that the Fenians of the day attacked the castle on three nights successively, finally getting down through the roof by means of a ladder. The widow, I'm told, got back the fortress and land—the Kanes dreading a repetition of the beatings or castigations they had endured at the hands of those indignant Fenians '.

Is dealraitheach gurb é an caisleán i gClárach Bhricín, paróiste an Chláraigh, atá i gceist ag an Donnach, agus go bhfuil ábhar an dáin samhlaithe leis an gcaisleán seo de bharr meascáin idir an logainm sin Clárach Bhricín agus logainm eile sa taobh sin tíre, Cúil Bhricín i bparóiste Ráth Chúil.

Meadaracht: Sampla truaillithe den luinneogach, le dhá líne déag ó cheart i ngach véarsa. An fhoirmle is ea 2(3A + B), ach is sa chéad véarsa amháin atá an crot seo le haithint. Is ionann an chéim dheiridh in B tríd síos agus (á), agus athraíonn an chéim dheiridh in A ó (í) go (i-). Tá líne 7 neamhrialta sa chéad véarsa. Tá an dara véarsa truaillithe—is é a chuma sin 4A + B¹ + 3A². Tá an dara véarsa truaillithe—is é a chuma sin 4A + B¹ + 3A² + B + 2A². Tá an tríú véarsa in aimhréidh ar fad, viz. 2A² + B + 3A² + B.

Léamha na Lámhscríbhinne: 1 Fhéin-sa. 2 Is cathadh. 3 Déanadh. 4 Annsa tír-sa. gnáth. 6 mursanse. annsa. 8. fuill. 9 Thá déanadh. 10 Is déanadh. 11 tsaoghal. 16 mbeidheas. Fhéin-sa. lagain. 17. gcnámh. 18 Níor bh'a'ruid. 19 Colum Cille. 20 Coisleán. Crinne. 22 Béaláthluain. tuigim. 23 sheasaig. fithchiod. 25 claoidheag. briseag. 26 Achd déanadh. comhangus. 27 ndéarain. tuile. 28. códha.

[104]

10

Liam Ó Meachair a chum an dán seo, ar ócáid fhilleadh Sheáin de Buitléir
ar Éirinn tar éis dó tréimhse a chaitheamh san Fhrainc ina óige. Seán Ó Doinn
a bhailigh ó Nioclás agus Tomás Ó Dirín, Tigh na Naoi Míle.
Mac ba ea Seán de Buitléir seo le hUaitéar, an 16ú hIarla Urmhumhan.
Rugadh é ar an 10/12/1740, i nGarraí Ricín. D'iompaigh sé ina Phrotastúnach
i dteampall an Ghabhailín, Co. Thiobraid Árann, ar an 16/12/1764, rud a d'fhág
é ar an gcéad duine dá mhuintir a bhain leis an Eaglais sin. Bhí sé ina Fheisire
Parlaiminte do thoghlach Ghabhráin ó 1776 go 1783 agus do chathair Chill
Chainnigh ó 1783 to 1791. Shocraigh Teach Éireannach na dTiarnaí sa bhliain
1791 ar an teideal traidisiúnta ' Iarla Urmhumhan agus Osraí ' a bhronnadh air,
teideal a bhí curtha ar ceal go hoifigiúil ón mbliain 1715. Bhí sé ina Chaomhnóir
Síochána do Chontae Chill Chainnigh ó 1793 to dtí a bhás. D'éag sé Lá Nollag
1795 i gCaisleán Chill Chainnigh. Phós sé ar an 14/2/1769 Susan Frances
Elizabeth, iníon agus oidhre Iarla Wandesford. Bhí sí sin ceithre bliana déag ag
an am, agu mhair sí go 1830. Bhí ceathrar mac agus beirt iníon acu. ' Seán an
Chaisleáin ' a thugadh an pobal Gaelach mar leasainm ar an Iarla seo. Is cosúil
gur sa bhliain 1761 a cumadh an dán, más aon iontaoibh a bhfuil ráite ag Ó Doinn:
' Jack o' the Castle, during his studies in France, fell in love with a French lady
of rank and privately got married to her, thereby provoking the anger and dis-
pleasure of his father " Old Wat Butler " [.i. an 16ú hIarla]. He contrived to
steal home through the aid of two Frenchmen, whose services he requited with
a life annuity to each in Kilkenny. Attaining his majority shortly after his return
to Garryricken, the occasion was celebrated with fires, plenty " fire-water ", long
dance, and music. And the local bard William O'Meagher added to the hilarity
of the occasion by the song of joy '.
Tá an dara hinsint ag an Donnach ar an méid sin, mar a leanas: ' Jack o'
the Castle, who was studying in France but who instead of minding his books
all through fell in love with one of the handsomest ladies in France, to whom he
finally got married though under age. His father Old Wat Butler being very
angry about the matter, young John engaged the services of two Frenchmen,
Laperelle and Bozion, who got a chest constructed with air holes or tubes and
thus conveyed him home privately in the vessel—as the lady's brothers had
watched him closely. On their arrival in Garryricken there were rejoicings and
a long dance, and Bill Maher the poet composed some verses '.

5 ' Means, I think, the good health and lengthened life arising from the exercise
of hawking '.—S. Ó D.

Meadaracht: Malartachas ar mheadaracht amhráin, ar an deilbh 2 (A + B). Trí
chéim atá i ngach líne, agus tá cruachadh coitianta. Tá amas idir an chéad
chéim de gach líne i gceathrú, agus tá aicill ón gcorr go dtí an réidh tríd síos.
Tá dhá phatrún a leanann na céimeanna deiridh. Is iad sin, A = (é-) agus
B = (í)/(ai); nó A = (a-) agus B = (ú). Tá an chéad chéim neamhrialta i
líne 12, ach is cosúil gur de bharr truaillithe atá sin amhlaidh. Tríd is tríd, iarracht
shlachtmhar atá ann ó thaobh meadarachta.

Léamha na Lámhscríbhinne: teideal: 'Abhrán . . .'. 3 An. Bultéara. 4 Eibhear. mhaill. 5 álain. 6 a<ø. a<ø. 7 Bultéarach. 8 céile. mhaoin. 9 scamuil. 11 groídhe-fhear. bhaile. 12 Bo. na. 14 Ba bhinne<ø. 15 aoibhean. casaig. 18 teacht. cúighean. h-Éirionn. 19 geamhruídhe na bhFómharuídhe. 21 bár brúchdachd. 22 amhan. laodaichd. 24 t-Sleagh. Builtéara. faoil.

11

Níl aon eolas sna nótaí ag Seán Ó Doinn faoi cá bhfuair sé an téacs seo, ach is dócha gurbh i gceantar Gharraí Ricín é. Is é atá ann caoineadh ar an mBantiarna Eleanor, baintreach Uaitéir, an 16ú hIarla Urmhumhan. Fuair sí bás i gCaisleán Chill Chainnigh ar an 31/12/1793 in aois a 82 bliain di. Eleanor Morres ba ea í, go dtí gur phós sí Uaitéar sa bhliain 1732. Deineadh Iarla de Uaitéar i 1766, agus fuair sé bás sa bhliain 1783. D'fhág sin Eleanor ina baintreach dhuair. A mac, Seán de Buitléir ('Seán an Chaisleáin'), a tháinig san Iarlacht i 1783, agus is ina bhéal siúd atá an caoineadh curtha de réir gach dealraimh. Maidir le 'Seán an Chaisleáin', an 17ú hIarla Urmhumhan, cf. na nótaí le huimhir 10.

12-14 Bhí cónaí ar Uaitéar agus Eleanor i nGarraí Ricín go dtí gur bhain Uaitéar an Iarlacht amach i 1766, nuair a d'aistríodar go Caisleán Chill Chainnigh. Is i nGarraí Ricín a thógadar a gclann, mar sin—mac amháin (Seán), agus beirt iníon.

16 Tagairt eile don aistriú ó Gharraí Ricín go Cill Chainnigh. Is cosúil ón mbéim atá leagtha ar Gharraí Ricín gur duine ón áit sin a chum an caoineadh.

21 Uaitéar, an mac ba shine ag Seán, a bhí ina 18ú hIarla Urmhumhan tar éis bhás a athar i 1795. Rugadh é sa bhliain 1770, rud a d'fhág é in aois a 23 nuair a d'éag a sheanmháthair. Bhí sé ina Fheisire Parlaiminte cheana, ó 1790.

22 An Bhantiarna Elizabeth, an iníon ba shine ag Seán, a bhí sé bliana déag d'aois ag an am.

27 Is deacair a rá cé atá i gceist leis an bhfocal 'oidhre' anseo. Is léir nach do Eleanor atáthar ag tagairt, pé scéal é, mar nár Bhuitléarach í féin. Dealraítear gur fear atá i gceist ón aidiacht shealbhach fhirinscneach i líne 30 (*i mbaile a dhúchais*). An té a bhí ina oidhre ag an am .i. An Tiarna Uaitéar, is dóichí atá i gceist. D'fhágfadh seo an tagairt mar chaint bhródúil athar faoina mhac. Ach tá caolsheans ann gurb é Seán féin 'an t-oidhre' agus go bhfuil an fíorchumadóir ag scaoileadh Sheáin ón gcéad phearsa go dtí an tríú pearsa sa tagairt.

Meadaracht: Meadaracht an-scaoilte ar fad atá sa déantús seo. Trí chéim atá i ngach líne, ach cuireann siad isteach roinnt ar dhul na cainte. Ar an gcéim dheiridh sna línte amháin atá an mheadaracht ag brath—bíonn amas eatarthu siúd. Tá cúig líne i ngach véarsa. (é-) atá sa chéim dheiridh tríd síos ach amháin sa cheathrú véarsa mar a bhfuil crot (a-) uirthi.

Léamha na Lámhscríbhinne: 1 a<mo. 2 na<a. 4 choimhead. ad sheasamh. 5 chafidís. caothach. 6 A<Me. bu. 8. aon 'uine. 12 daithníd. chomharsan. 10 chúm. 11 a rao' chur. 12 Garradhríghcín. 14 breádha. 17 a<ø. 18 chuiradis. annsa. 19 fheartuin. 20 dal. chaise. 22 ar mur gceadna (= fonóta). 23 fa. 26 uaisluíghe. 27 onorach. maithmheineach (= fonóta). 28 da a. 30 Chainne.

12

Bhailigh Seán Ó Doinn sleachta den chaoineadh seo timpeall ar a cheantar dúchais. Tá trí dhréacht tugtha aige in áiteanna éagsúla ina chuid lámhscríbhinní, agus ní mar a chéile aon dréacht acu. Tá malairtí leagain tugtha aige do chuid de na dréachtaí seo, agus bhí ar an eagarthóir slacht a chur anseo is ansiúd ar ord na línte dá bharr sin chun an téacs ab iomláine ab fhéidir a chur ar fáil. Baineann línte 1-49 den téacs eagraithe anseo le dréacht amháin de chuid an Donnaigh, baineann línte 50-78 le dréacht eile, agus baineann línte 79-86 leis an tríú dréacht. Dá mhéid í an eagarthóireacht a dhéanfaí ar ar bhailigh Ó Doinn den chaoineadh seo, ní fhéadfaí bheith sásta go bhfuil aon ní againn ach leagan truaillithe go maith den chaint mar a cumadh í. Is dealraitheach go raibh an bunchaoineadh féin níos snasta go mór. Is léir go raibh sé níos faide agus go raibh níos mó de chuma an chomhrá nó an aighnis idir beirt chaointeoirí air. Tá tábhacht nach beag ag baint leis an méid seo a leanas a luann Art Ó Dúill, duine de chúntóirí Prim, le Prim i litir chuige ó Ghráinseach Chuffe ar an 3/1/1865: ' I went to see old Mr. Shearman above Desart on Sunday concerning the old lament. He told me he often heard it but retains no portion of it, though he says his mother was reciter of the lament over the dead body of the great and good gentleman, that the lamenters on the occasion were both women, his [Shearman's] mother and an old woman named Carroll the other. The latter chaunted alternately every second verse in praise of the mother's side of the family, while the former took the part of the Cuffes or the corpse's father. He says it was a grand composition and was said to be the best of its sort in existence '.

Is é atá á chaoineadh John Cuffe, an dara ' Lord Desart '. Mac ba ea é seo leis an gcéad thiarna, John Cuffe eile, agus lena bhean, Dorothea Gorges. Rugadh é ar an 16/11/1730. Cuireadh oideachas air i gColáiste na Tríonóide, Baile Átha Cliath, agus nuair a fuair a athair bás i gCaisleán Inse sa bhliain 1749 deineadh Tiarna de. Ghlac sé a shuíochán sa Pharlaimint sa bhliain 1751, agus phós sé i 1752 Sophia Badham ó Cho. Chorcaí, baintreach Richard Thornhill. Bhí triúr iníon acu, Sophia, Lucy, agus Catherine. D'éag sé ag Caisleán Inse ar an 25/11/1767. ' Seán an Chaipín ' a bhí mar leasainm ag an bpobal Gaelach air.

1, 5 ' *A gharsúin bhacaigh* '/' *a ghatacháin bhacaigh* ' *:* Ní fios cérbh é seo, ach bhí sé mar choinbhinsean sna caointe neamhliteartha aighneas a bheith ar siúl idir caointeoirí.

2-4 Táthar ag iarraidh air é féin a ghlanadh suas don tórramh.

6-7 Bhíodh sé mar nós go ndíoltaí na caointeoirí as a saothar.

8-9 Tagairt atá anseo do bhean áirithe ar dhein sé í a chaoineadh i gCallainn cheana.

11 An chraobh uasal de na Grásaigh agus na Breathnaigh atá i gceist (maidir leo seo, cf. Burtchaell, lgh 67-70, etc.). Ní dócha go raibh aon ghaol fola idir na teaghlaigh seo agus na Cuffaigh, áfach. De réir leagain eile den líne ag an Donnach, is é atá i gceist: ' Ní raibh do ghaol le Grásaigh is le Breathnaigh '. B'fhéidir gur iarsma atá ann d'aighneas idir an bheirt chaointeoirí, agus gur ag ceartú a chéile atá siad.

[107]

12 Bhí deirfiúir Sheán an Chaipín, Nichola Sophia, pósta le Edward Herbert, Feisire Parlaiminte do Inis Tíog ó 1749 to 1760. Bhain muintir Herbert seo le Carraig na Siúire.

14 Dorothea Gorges, iníon don Lioftanaint Ginearál Richard Gorges, ó Cho. na Mí, ba ea máthair Sheán an Chaipín. Ba í an dara bean chéile í ag a athair, agus phósadar i 1726.

15 Bhí aintín Sheán an Chaipín, Martha Cuffe, pósta le John Blunden ó Chluain Morna, Feisire Parlaiminte do chathair Chill Chainnigh ó 1727 go 1751. I mbaile fearainn Dhama atá Cluain Morna (' Castleblunden ' i mBéarla).

17 *Cúirt aolmhar:* ' Desart Court ', an teach mór a thóg na Cuffaigh sa bhliain 1733 (O'Kelly, lch 191).

18 Thóg na Cuffaigh teach mór i gCill Achaidh thart faoin mbliain 1700 (Carrigan 2, lch 376).

21-4 Fear de mhuintir Chuanaigh a bhíodh mar fhreastalaí fiaigh ag Seán an Chaipín, dá réir seo.

25 Ní raibh aon mhac ag Seán an Chaipín. Ba é a dheartháir, Otway Cuffe (1737-1804), a tháinig ina dhiaidh sa Tiarnas.

31 *Muilte iarainn:* Maidir leis na muilte iarainn i gCallainn, cf. de Bhaldraithe, lch 8.

34 *An dair mhór:* crann cáiliúil i gcoillte ' Lord Desart ' ag Caisleán Inse. Tá tagairtí ag Amhlaoibh Ó Súilleabháin di (de Bhaldraithe, lgh 5, 117).

36 I gCaisleán Inse a cuireadh Seán an Chaipín.

44 *Agar:* James Agar (1734-1789), ' Viscount Cliften '. Bhí sé ina Fheisire Parlaiminte do Cho. Chill Chainnigh ó 1761 go 1776.

45 *Blúindean:* Sir John Blunden, mac do John Blunden agus Martha Cuffe (cf. nóta ar líne 15). Ba chol ceathrar é, mar sin, do Sheán an Chaipín. Phós sé i 1755 Lucy-Susanna Cuffe, deirfiúir Sheán an Chaipín. Bhí sé ina Fheisire Parlaiminte do chathair Chill Chainnigh, 1753-4 agus 1768-76. Fuair sé bás i 1783.

46 *Paidí:* ' He was Patrick Walsh, a friend of Lord Desart, and lived in Newtown— teste Robert Doran, Seven Houses '.—S. Ó D.

50-3 Moladh ar an gcuma a mbíodh aíocht agus féile le fáil ag muintir na háite i dteach Sheán an Chaipín. Cf., leis, an nóta le línte 77-8 thíos.

54-5 Ní ag súil le Seán an Chaipín a bheith marbh roimpi a tháinig an caointeoir go dtí an teach, ach ag súil le féile agus le geanúlacht Sheáin.

57 *An leon:* Seán an Chaipín.

66 *Caipín dearg:* Is cosúil gurbh ón gcaipín seo a tugadh an leasainm air.

66-70 Bhí Seán an Chaipín ina phátrún ar fhoireann áitiúil iomána (cf. Liam Ó Caithnia, *Scéal na hIomána* (Baile Átha Cliath 1980) lgh 27-9). Tá macalla ar línte as an amhrán ' Príosún Chluain Meala ' i línte 68-70.

71 *Rás:* Rásanna capall, is cosúil. Bhí cúrsa ráis ag Cill Maodhóg, i bparóiste Ghráinseach Chuffe, tamaillín ó Chaisleán Inse (cf. O'Kelly, lch 183).

72-8 ' Verse about the liberation of some Whiteboys in Clonmel jail by the great exertions of Seán an Chaipín '.—S. Ó D. Ó cheantar na hInse (.i. ceantar Sheáin féin) ba ea na Buachaillí Bána seo, de réir an téacsa. Díol suntais is ea príosún Chluain Meala a bheith i gceist anseo, tar éis don chaointeoir línte a ghlacadh ar iasacht ón amhrán coitianta faoin bpríosún sin (línte 68-70).

77-8 Is cosúil gur leagan eile iad na línte seo de línte 50-3. Is é atá i gceist i
líne 78 ná comhairle do na Buachaillí Bána *alibi* a bheith acu tar éis dóibh
bheith amuigh istoíche i mbun a ngíomhaíochta.

79 ' *Baolach* ' : Glao ag fógairt gur bhaol don duine nach mbogfadh as an tslí go
leagfadh na gadhair nó na capaill fiaigh é.

80 *An fiagaí*: Seán an Chaipín.

83 *Otway Cuffe*: deartháir agus oidhre Sheán an Chaipín—cf. nótaí le líne 25.
Ghlac sé a shuíochán i dTeach na dTiarnaí ar an 22/12/1767. Bhí sé ina
Mhéara ar Chill Chainnigh i 1771-2 agus 1779-80. Deineadh ' Viscount
Desart ' de i 1781, agus i 1793 deineadh ' Viscount Castle-Cuffe ' agus ' Earl
of Desart ' de. Phós sé i 1785 Anne Browne, iníon Iarla Altamount. Fuair sé
bás ar an 9/8/1804 i mBaile Átha Cliath, in aois a 66 dó.

85 *Tiarna an chúil chraobhaigh* (Ls ' craobhail ') : ' " Craobhail " should be " craobh-
fholt ".'—S. Ó D.

Bhí an véarsa seo a leanas tugtha do Sheán Ó Doinn mar chuid den chaoineadh,
chomh maith. Is léir gur le caoineadh ar dhuine éigin eile a bhaineann sé, áfach,
agus b'fhéidir gurb é is bun le línte 11-12 den téacs :

> Bhí do ghaol le céile an chabharthaigh,
> Le Brianaigh is Grásaigh is Gearaltaigh,
> Le hAnluan a raibh bua chun catha aige,
> Le hoidhre an Spoirigh (?) is na Breathnaigh is airde
> Le Niallaigh, le Paoraigh, is le Faoitigh,
> Is dá n-áireoinn tuilleadh níor mhiste a chuir síos iad !

Meadaracht: Tá an truailliú ar an téacs soiléir as an drochbhail atá ar an meadar-
acht. Idir dhá chéim agus ceithre chéim a bhíonn i líne den téacs mar atá.
Bíonn amas idir na céimeanna deiridh i ngrúpa línte de ghnáth, rud a fhágann
gur deilbh an roisc is mó atá i gceist (mar is gnáth sa chaoineadh neamhliteartha).
Tá malartachas ar mheadaracht fhíorgharbh amhráin le fáil thall is abhus, áfach
(línte 50-3, 79-86). Tá líne 8 neamhrialta, agus tá aicill idir í agus líne 9.
B'fhéidir gur iarsma d'ochtfhoclach atá anseo. Tá cuma gharbh ochtfhoclaigh
ar línte 38-49. Tá líne 57 neamhrialta, agus is léir nár cheart í a bheith san
ionad seo. Is léir, leis, go bhfuil línte in easnamh sa téacs, agus go bhfuil athchrot
curtha ar an bhfriotal ag na seanchaithe éagsúla. Mar shampla, is cosúil gur
leaganacha den bhunchaint chéanna iad línte 50-3 agus línte 77-8, ach tá an
bhéim agus an mheadaracht athraithe iontu anseo. Tríd is tríd, is beag amhras
ach gur bhain na caointeoirí úsáid as rogha de mheadarachtaí éagsúla agus an
Cuffach á chaoineadh acu, ach is deacair an tranglam a réiteach sa téacs mar atá
sé tagtha anuas chugainn.

Léamha na Lámhscríbhinní: teideal ' Caoine '. 1 Eisd. eisd. gharsún bhacach.
2 Fuig. cúm. d'fhiosóg. 4. caoineas. a cliarsa. 5 Eisd. bhacach. 6 mbheadh.
7 seanda-léab d'fhalainn. 9 scillinn. 10 caoineas. 11 Grása. Breathnaig. 12 ogán-
aig chaola (malairt léimh ar ' fir chaola donna '). 18 Cillaighthe. 19 eisd. ghata-
chán bhacach. 20 Caoineas. cliarsa. 24 Suil. righeadh. 26 stát-sa. aon'ne.
27 dearbhráthair. 28 siubhalfa. 32 n-Fhúrnis. rin. 35 gallshion. 43 annsa

mharcaig. 45 Cluain-Mórnal. 46 Paduíghe. 50 buachailuídhe. 52 bheidheas. 53 annsa. 55 fao'd. an Ínse. 63 Cúm a dh-ól é. 67 h-iomáinthe. 68 fiafhra. 72 a gealach. 74 aimdheóin. 75 buachailuídhe. 77 crann-seasta. tír-sa. 78 fios. aguib. caitheamh. 79 bhaoleach. na. 81 gabhail. bóithre. 82 cuadh. feothain. mharcaig. 83 guidhimsa. tá. 85 Cúm. craobhuil. 86. bo. dis. Cuiffe.

13

' Fragment of a *caoineadh*, or keen, for Mary Lanigan, the wife of Mr. Ladyman of Callan, a Protestant and magistrate. It was chaunted by a respectable woman named Mary Mullaly '.

Is cosúil go bhfuil dul amú ar Sheán Ó Doinn nuair a deir sé gur ' magistrate ' ba ea Ladyman, mar nach bhfuil a ainm le fáil in aon cheann de na liostaí don phost sin. Bhí sé ina ghiúistís síochána i gCo. Chill Chainnigh sa bhliain 1777 (Ls na Leabharlainne Náisiúnta, uimhir 5169). Samuel Ladyman an t-ainm a bhí air. Tá cuid mhaith tagairtí dó féin agus dá bhean, Máire Ní Lanagáin, sna gníomhais atá cláraithe i gclárlann an *King's Inns*, i mBaile Átha Cliath. Bhíodar (viz. ' Samuel Ladyman of Ballytobin and Mary Ladyman his wife ') mar fhinnéithe do ghníomhais de chuid athair Mháire, Valentine Lanigan, sa bhliain 1755 (Gníomhais uimhreacha 119379, 119380). Bhí athraithe acu ó Bhealach Tóibín go Callainn faoi dheireadh na bliana 1756 agus talamh acu i gCluain Lathaí sa pharóiste sin (Gníomhas uimhir 123023—cf., leis, uimhreacha 142344 agus 152915). Bhí Samuel Ladyman fós beo sa bhliain 1793 agus maoin aige i gCluain Lathaí agus baile Challainn (Gníomhas uimhir 297837). Deineadh uacht Mháire a chruthú sa bhliain 1800 (Arthur Vicars, *Index to Prerogative Wills of Ireland*, 1536-1810, Baile Átha Cliath, 1897—' Mary Ladyman '). I 1799 nó mar sin a fuair sí bás, dá bhrí sin.

1 *Baile Uí Thuathail:* Baile fearainn i bparóiste Ghráinseach Mhagh Chliara, díreach ar thaobh Thiobraid Árann de theorainn an dá chontae. Sa cheantar sin, Magh Chliara, a bhí tailte ag athair Mháire, Valentine (cf. Gníomhas 234540). Ag tagairt atáthar anseo, mar sin, d'óige Mháire.

2 *Molly Bhán:* .i. Máire Ní Lanagáin, ábhar an chaointe.

6 *Uilliam:* Uilliam ba ainm don deartháir ba shine ag Máire, agus is aige a bhí an chéad éileamh ar thailte a athar (cf. Gníomhais 119379, 119380). Bhí sé ina chónaí sa Leamhach, baile fearainn i bparóiste Uí Duach, sa bhliain 1782 (Gníomhas 234540).

Seon: Deartháir Mháire, a bhí ina chónaí i dTobar na Brón, paróiste Fhiodh Dúin (Gníomhais 119379, 119380). Phós sé sa bhliain 1754 Frances Blunden ó Chill Mogeanna (*The Irish Genealogist* 4 (1971) lch 335).

Séarlas: Deartháir eile do Mháire, is cosúil. Bhí ceathrar dearthár aici (cf. Gníomhas 234540).

7 *Máistir Stanard:* Stannard Lanigan, deartháir eile do Mháire. Ba é an ceathrú mac den teaghlach é (Gníomhas 234540).

9-10 Is cosúil as na línte seo go raibh iníon do Mháire ina cónaí i mBealach Tóibín, mar a raibh talamh ag muintir Ladyman (cf. thuas). Nó b'fhéidir gur ag tagairt do Bhealach Tóibín a bheith mar áitreabh ag Máire féin atáthar.

11-14 Dealraítear as na línte seo go raibh titim amach éigin idir an iníon agus a tuismitheoirí, agus go bhfuil údar an chaointe ag súil le hathaontú an teaghlaigh ar ócáid na sochraide. Dhealrófaí, leis, go raibh Samuel Ladyman fós beo nuair a cailleadh a bhean.
16 Tá údar an chaointe ag maíomh gaoil le Máire.

Meadaracht: Leagan cruinn go leor den chaoineadh liteartha. Tá ceithre chéim i ngach líne. Bhí amas idir an chéim dheiridh i ngach líne laistigh den cheathrú ar dtús, gan amhras, ach tá meascán idir ceathrúna éagsúla i gceist le línte 9-16 anseo. Dhá phatrún atá ar an gcéim dheiridh seo, viz. (a-) agus (é-). Tá comhfhuaim i ngach líne, agus athraítear cáilíocht an ghuta sa chomhfhuaim seo ó líne go chéile, mar is nós sa chaoineadh liteartha.

Léamha na Lámhscríbhinne: 1. Cúadh. Bail Uí Thuathail. 2 bhfeicain. na cúacháin gheala. 3 boinéad. 5 Tiocfhadh. 6 Lúgheach. 8 Go mo bhfad. aig an a. glaodh. 9 Tiocfhadh. amárach. práineach. 11 tínte. ríncí. 12 Eireógh's. 13 Bronnais. dad. estát. uirre. 14 áthas. 15 tuitim. aguibh. ghlaodhfuin. 16 tréada. me fhéineach.

14

' Marbhchaoineadh don Athair Risteard Ó Sé, sagart paráiste Chill Lamhrach agus Cheanannais, i ndeoiseas Osraí, noch d'éag an seachtú lá déag de mhíos Iúil, i mbliain Ár dTiarna dhá bhliain déag is trí fichid ar seacht gcéad ar míle '.

—S. Ó D.

Rugadh an tAthair Risteard Ó Sé i Stún Chárthaigh sa bhliain 1728. Deineadh sagart paróiste ar Inis Tíog de i 1764, agus aistríodh é go Dún Iomagáin i 1769. Fuair sé bás ar an 17/7/1772, in aois a 44 bliain dó. D'iarr sé roimh a bhás go gcuirfí a chorp i reilig Stún Chárthaigh in uaigh a athar. Is amhlaidh a chuir na paróisteánaigh é i gCill Lamhraigh, áfach, i bhfochair na sagart paróiste a chuaigh roimhe san áit. Go gairid tar éis an chuir, tháinig a chairde istoíche agus d'aistríodar an corp go Stún Chárthaigh, an áit ba rogha leis féin (cf. Carrigan 4, lgh 10, 85). Is léir as úsáid an téarma ' ar dtúis ' i líne 36 gur tar éis an aistrithe a cumadh an marbhna seo. Deir Seán Ó Doinn gur deineadh an uaigh a fhaire ar feadh cúig oíche déag i gCill Lamhraigh, agus gur aistríodh an corp go díreach ag deireadh na tréimhse sin, nuair a fuarthas an chaoi.

' Tradition, which reverentially cherishes every detail connected with the ministry and premature demise of the truly zealous and large-hearted clergyman referred to—whose charities to the poor of his flock often exceeded his pecuniary means—states that at the wake his sister had keened him and that her keening surpassed in pathos and feeling that of the other women who took part in the ceremonies. It is obvious, however, that the elegy was composed subsequent to the re-interment of the revd. gentleman in the churchyard of Stumcarthy. The greyheaded peasants here—whose experience goes back to the period when the vernacular tongue was in use in all the districts south and west of the Nore— assert that it is not the keening effusion of a woman, but is the mature production of some man well skilled in the Irish tongue. It is conjectured by some that " Nioclás an Chaointeacháin " [.i. Nioclás Breathnach] might have been the composer '.—S. Ó D.

Theip ar an Donnach teacht ar fhocail an mharbhna ó aon duine ach amháin ó bhaintreach aosta dar shloinne pósta Laurence. I gCill Lamhraigh a bhí cónaí uirthi sin.

4 B'fhéidir go seasaíonn ' faolsadh ' do ' faoilte ' nó a leithéid. Is léir gurb ionann ciall dó agus ' faoiseamh '.

10 *Daingean na Sceach:* Daingean Mór, baile fearainn i bparóiste Dhún Iomagáin, de réir cosúlachta.

12 *Clocha na bhfeart:* Ls ' locha na bhfeart '. Molann Ó Doinn féin an léamh ' clocha na bhfeart '.

13 *Stún Chárthaigh:* Ls ' Stuaim Chárthaigh '. Úsáideann Ó Doinn an leagan le ' Stuaim ', a deir sé atá bunaithe ar an tseanlitríocht.

15 *Brúnaigh:* ' I read in the details supplied by Father Shearman that the grand-mother of the Rev. Richard Shee was Mary Angela Browne '.—S. Ó D.

Meadaracht: Leagan an-scaoilte den chaoineadh liteartha. Níl aon chosúlacht rialta idir na línte ach amháin ar an gcéim dheiridh (líne 33 neamhrialta). Tá rian mheadaracht an chaointe ar an amas is ar an gcomhfhuaim thall is abhus, áfach. Sa tríú ceathrú, cuir i gcás, tá amas idir na línte sa chéad chúpla, agus leantar den rialtacht chéanna sa dara cúpla ach go n-athraítear cáilíocht an ghuta i gcéim amháin ón gcéad chúpla. Seo nós a chleachtaítear sa chaoineadh liteartha. Tá amas glan idir na céimeanna i ngach líne sa cheathrú ceathrú. Ar na ceathrúna eile is mó snas tá an cúigiú ceann (ach dhá chéim a bheith lochtach), agus an seachtú ceann (a bhfuil amas idir trí chéim ann tríd síos). Tabharfar faoi deara, mar sin, nach bhfuil an déanamh ag teacht le chéile ó cheathrú go ceathrú, chomh maith le cuid mhór de na céimeanna a bheith lochtach. Tá líon na gcéimeanna i ngach líne cruinn de réir nós an chaointe liteartha .i. tá ceithre chéim i ngach líne, ach ní foláir comhréir na cainte a bheith iarrachtín crochta thall is abhus chun na céimeanna a thabhairt amach glan. Tá an conchlann déanta go beacht ó cheathrú go chéile. Tríd is tríd, is dealraitheach go raibh cuma níos snasta ar an gcaoineadh seo nuair a cumadh é ná mar atá ar an leagan seo, ach is léir nach raibh sé rialta ar fad.

Léamha na Lámhscríbhinne: 1 dochreadach. 4 phobail. faolsa. aichillán. 5 Aichillán. 6 bár. 8 fa. na. 9 bhiadhair. 10 Sliabh.11 Sé's. g-eisdeachd. 12 dreóigh. annsa. leagh. aiga. 13 Stuam Chárthaigh. 14 naomh Máire. 15 Brúnaig. Seagaibh ráite. 17 dh-aisdear. romhuin. 18 Parrathas. 19 triad. a sileadh. 20 dhiaigsa. 21 méinn. 22 tréinfhuil. Laighean. 23 sé's. truaighe. liom. 24 tríd. 25 Triad. Shocois. bhrollach gil glórmhar. 26 bh-fochail. síothsheólta. 27 fa. 28 bheidheas. glórmhar. 29 siorraidhe. 30 Parrathais. 31 déalta. bh-úainn. 32 anbha-ghuil. díoghuinn 'sa n-úagh. 33 Uagh. cliothar. féall. 34 Thá'n sa. dúchas. a forfhaire. 35 Se bheir. 36 taisgaig. G-Cill-Úireach.

' Dhá cheathrú de chaoineadh noch do rinne a shiúir do Sheán Ó Súilleabháin, gabha óg ó Chontae Chiarraí, d'éag i gContae Chill Chainnigh '.—S. Ó D. ' An extempore caoineadh by a Co. Kerry maiden for her brother, a smith, who died on the border of Iverk '.—S. Ó D.

6 *Abha Bhríde:* abhainn i gCo. Chorcaí.

7 *Abha Thriopaille:* abhainn i gCo. Chorcaí.

9 *Máire, Cáit, Síle:* mná óga ó cheantar dúchais an tSúilleabhánaigh.

Meadaracht: Rosc, an mheadaracht a bhíonn sa chaoineadh neamhliteartha. Tá trí chéim i ngach líne anseo, agus ionannas idir an chéim dheiridh i ngach líne acu. Is é atá sa chéim seo tríd síos (í–).

Léamha na Lámhscríbhinne: 1 dhearbhráthair. dhearbhráthair. 2 Thá's. do chlaoidh tu. 6 mbeidhfá. obha Triopaile. 7 obha Bríde. 8 Gheabhain. do. ad thímpchioll. 9 Guilfaidh. 10. leigean-sa. ttosach.

Caoineadh atá anseo, is cosúil, ar bhráthair éigin den sloinne Breathnach. B'fhéidir gur dhuine de na hAgaistínigh i gCallainn ba ea an Bráthair Breathnach seo. Tá an chuma ar an stíl go mb'fhéidir gurbh é Pádraig Ó Néill ó Ónaing a chum.

1 *Na trí Mháire:* Na trí Mhuire a bhí faoi bhun na Croise ag Calvaire is dealraitheach atá i gceist.

2 *Na trí rí ab airde:* Is féidir gur tagairt atá anseo don triúr saoi ríoga ón oirthear a tháinig go dtí an mBeithil chun an leanbh Íosa a fheiceáil. Nó b'fhéidir eile gur tagairt don Tríonóid atá i gceist. Tá an Mhaighdean Mhuire in aigne an chumadóra de bharr an traidisiúin gur ' Máire Bhreathnach ' an t-ainm a bhí uirthi sa saol seo. Meascán idir Naomh Dáibhí na Breataine Bige agus Rí Dáibhí an Bhíobla ba bhun leis an sloinne ' Breathnach ' a bheith tugtha do Mhuire. De shliocht Rí Dháibhí ba ea í, de réir an tSoiscéil. Nuair a chuirfí Naomh Dáibhí in ionad Rí Dháibhí, d'fhágfaí gur Bhreathnach í Muire ó thaobh cine. Lena thuilleadh meascáin, thuigfí gur Bhreathnach í ó thaobh sloinne (viz. ' Máire Bhreathnach ').

3 *Na trí diúca:* Diúcaí Urmhumhan, b'fhéidir, ach is deacair a rá.

4 Tagairt atá anseo d'ionradh na Normannach trí chathair Phort Láirge i 1169. De bhunadh Normannach ba ea na Breathnaigh.

5-7 Moladh ar fhlaithiúlacht mhuintir Bhreathnaigh leis an Eaglais.

8 Tagairtí de Bhreathnaigh áirithe a chuaigh le bráithreacht agus le sagartóireacht.

9 *Pápa:* Is cosúil gurb é an Pápa a thug forlámhas ar Éirinn do na Normannaigh leis an mbille ' Laudabiliter ' atá i gceist sa tagairt seo. Ba é sin an Pápa

Áidrian 4 (Nicholas Breakspeare), an t-aon Sasanach amháin riamh a bhí
ina Phápa (1154-9). Gach seans gur samhlaíodh don údar anseo gur leagan
den sloinne ' Breathnach ' ba ea ' Breakspeare '!
Easpag: Bhí ardcháil ar Thomás Breathnach, Ard-Easpag Chaisil, a fuair bás
sa Spáinn sa bhliain 1654 in aois a 66 bliain dó (cf. Carrigan 1, lch 75).
15 .i. ba dhaoine uaisle iad na Breathnaigh. Mar chaitheamh aimsire, agus ní
mar shlí bheatha, a bhíodh an fiach agus an iascaireacht ar siúl acu.

Meadaracht: Leagan scaoilte den chaoineadh. Ceithre chéim i ngach líne. Tá
comhfhuaim de ghnáth idir dhá ghuta aiceanta in aon líne. Ar an gcéim dheiridh
i ngach líne a bhraitheann an mheadaracht, i ndáiríre. I línte 1-7 is é atá sa chéim
sin (á–); i línte 8-15 (a–), i línte 16-20 (é–), agus i línte 21-22 (a–). Ní ró-
shlachtmhar an chuma atá ar an déantús, ach is cosúil ó ord na smaointe nach
bhfuil truailliú ró-mhór imithe air ón mbunchrot a bhí air.

Léamha na Lámhscríbhinne: teideal: ' Na d-Trí Máire '. 1 díleas. Máire. 2 thuit.
aoirde. 3. diúce. 4 cúm. tígheas. 5 gúnnaidhe. 6 ór buídhe. cailísí. 7 bheidh.
8 na. ceathair. na. 9 na. na. 10 nglaodh. Bhreathna. 11 Dh'umparaidis.
12 paidirín. deichneamhar. 13 Cuiridis. pholl. 14 a bheiridis. 15 ndiaigh.
16 teangtha. is<ø. 17 cúm Laidionn. cúm Gaoidhilig. 18 cúm Fraincis. cúm.
19 Gréigis. 21 Cuiridis. iona gunnaidhe. 22 tréunachd. bhfórce.

17

Amhrán molta atá anseo ar thobar Chrann Moling, i mbaile fearainn Mhuil-
eann na Cille, paróiste Sheireapúin, agus go sonraitheach ar Risteard Ó Macdha
agus a bhean Éilín a bhí ina gcónaí gar don tobar sin.
Ó Mhicheál Ó Riada, seanduine ó cheantar Shléibhte an Bhreathnaigh, a
fuair Seán Ó Doinn na focail.

1-4 Bhí an file ar a thriall ó Chill Mhuineog go dtí an Cheapach. Dhá bhaile
fearainn iad siúd i bparóiste Sheireapúin. Tá gabhlóg sa bhóthar míle ó dheas
ó Chill Mhuineog, áit ar cheart dó dul ar clé chun aghaidh a thabhairt ar an
gCeapach. Ach is ar dheis a chuaigh sé sa cheo, rud a thug é go Muileann
na Cille.
5 *An bile:* an crann troim taobh leis an tobar atá i gceist. Deirtí gurbh é Naomh
Moling féin a chuir ann é (Carrigan 4, lgh 192-3).
10 *Seán Clárach:* Seán Clárach Mac Dónaill (1691-1754), an file cáiliúil ó Ráth
Luirc, Co. Chorcaí. Is dealraitheach as an tagairt seo gur le linn Seán Clárach
a bheith beo a cumadh an dán, ach ní féidir bheith cinnte nach ag maíomh
as a eolas ar an litríocht atá an file.
11 Deirtí go mbeadh an éifeacht seo ag aoir a dhéanfadh file .i. an fheoil nó an
ghruaig a bhaint de dhuine. Bunaithe ar an meafar ' bearradh ' don aoradh
atá an tuiscint, agus tá tagairtí mar seo le fáil go coitianta sa litríocht agus sa
bhéaloideas.
12 Deir Seán Ó Doinn gur duine ba ea Risteard Ó Macdha ' whom some tyrannic
lady seemed determined to exterminate '. Ach is é is dóichí gur don chuach

[114]

atá an file ag tagairt agus gur uirthi atá sé chun iarraidh ar Sheán Clárach aoir a chumadh. Chreidtí go mba dhrochthuar an chuach a chloisteáil ró-luath sa bhliain (ní raibh duilleoga ar an gcrann troim fós, de réir líne 5). 15-16 Is cosúil gur de shíol an ' Cháit an ghleanna seo ' Risteard Ó Macdha, agus gurb iad a shinsir 'na marcaigh ba úire croí '.

Meadaracht: Leagan an-scaoilte de mheadaracht an amhráin. Tá cúig chéim i ngach líne, agus is í an chéim dheiridh amháin a thugann amas rialta tríd síos. Is é atá sa chéim seo (ai) nó (í). Deir Seán Ó Doinn gur thug an Riadach an fhuaim (ai) don siolla deiridh i ' Moling ' tríd síos. Tá comfhuaim i línte áirithe, agus roinnt amais idir céimeanna ó líne go chéile, ach is dealraitheach go bhfuil truailliú nach beag imithe ar an téacs.

Léamha na Lámhscríbhinne: teideal: ' Tiobar Deas Crann Molíng '. 1 Mhanóg. choideal. 2 Cheapa. fhearthuin. 3 tiugh. 4 tarraint. 5 Sé. 6 as. 8 Aodhlín. Crann Molíng. 9 maidean. 10 Scríobhfa. Gaoidhleag. cúm. Seaghan Cláreach. 11 scriosa. 12 Crann Molíng. 15 Cáit. marcaig. 16 cion. Muileann. aigi. Crann Molíng.

18

Deir Seán Ó Doinn gur chum *Somer*ach na nAmhrán an dréacht seo tar éis eachtra a thit amach ar shochraid a mhná i reilig Chill Bhríde, i bparóiste Chal-lainn. Ón taobh sin ba ea a bhean, agus thug a muintir siúd faoin bhfile sa reilig. Tháinig muintir Phoill an Chapaill i gcabhair air, agus tharrtháladar é ó bhualadh a fháil.

' Part of a song by a man named Somers, or " Somers of the Songs ", whose rustic Muse had inspired a grateful feeling towards the bog, or Poulacapple, people of his day, for having saved him from an Irish beating in the churchyard of Kilbride. . . . The cause of the poet being attacked by his wife's friends in Kilbride was his having been represented to them as " a bad head " to her by some tattler or gossip, whereas on the contrary he affectionately loved her to the last—which induced the Poulacapple people who knew the truth to save him from his bitter antagonists '.—S. Ó D.

5 *Dónall:* ' Daniel O'Dunne of Poulacapple, my granduncle '.—S. Ó D.
6 *An Mhóin:* .i. Poll an Chapaill, díreach ar thaobh Cho. Thiobraid Árann den teorainn.
9-10 Is cosúil gur tháinig cás cúirte as an mbruíon sa reilig.
11-12 ' " The best of the Hoynes ", an old family in Poulacapple traditionally said to have originally come from Dunmore, Co. Kilkenny. In fact, all the old families here first came from Kilkenny districts '.—S. Ó D.
13. *An spéirbhean:* ' The lady above referred to was Mary Lanigan, wife of W. Leadamien (*recte* Samuel Ladyman), subject of the lament '.—S. Ó D.
Uimhir **13** sa chnuasach seo is ea an caoineadh úd ar Mháire Ní Lanagáin.
14 Ls '. . . dhá chéipis '. Léamh dóchúil atá i ' Thug dhá shéap as '.
15 .i. ' Cuirfear i bpríosún é, is cuma cé a sheasóidh leis '.

[115]

Meadaracht: Deilbh ghlan ochtfhoclaigh atá ar an gcéad véarsa, ar an bhfoirmle 4(A + B) mar seo a leanas:

A = - | X- | X-- | X- | X-
B = - | X- | X-- | X- | á

An deilbh chéanna ba cheart bheith ar línte 9-16, ach tá truailliú ar na línte sin. Seo a bpatrún bunaidh:

A = - | X- | é- | X-- | é-
B = - | X- | é- | X- | a

Bheadh an patrún i gceart dá nglacfaí leis go bhfuil líne in easnamh idir línte 13 agus 14 anseo.

Maidir le línte 16-19 anseo leanann siad sin patrún leathvéarsa ochtfhoclaigh ar dheilbh línte 9-15 thuas.

Tríd is tríd, mar sin, tá dhá rogha againn .i. gur chum an file an dara véarsa go fíorneamhrialta ar dtús, nó go bhfuil an chuma sin ar na línte úd anois de bharr mhearbhall cuimhne na seanchaithe. An dara rogha is inmholta, ach tá an téacs á thabhairt anseo mar a bhailigh Seán Ó Doinn é.

Léamha na Lámhscríbhinne: teideal: ' Somereach na h-Abhráin '. 1 Shamhra. 1 shamhra. 3 teampuil. 4 chúm. 5 t-á. 8 a gcóir. 8 shliogán. 9 fúarase. 10. chúm. 14 . . . dhá chéipis. bual. 15 a n-aimhdheoin aon'e ria se asteach. 16 le. 17 so. 19 acht. 20 d-aimhdheoin. méirlaig. gheóbhadh.

19

Chum Pádraig Ó Riada an dán molta seo ar an nGraoineach chun feirm thalún a fháil ar cíos uaidh i mBaile na Móna, i bparóiste Sheireapúin.

Rugadh John Greene thart faoi 1711. Phós sé ar an 3/12/1737 Frances Nicholson, a bhí ina baintreach. Bhí cúigear mac agus ceathrar iníon de chlainn orthu, agus bhí mac acu seo Godfrey ina Fheisire Parlaiminte do Dhún Garbhán ó 1778 to 1790. D'éag a chéad bhean i 1756, agus phós sé athuair ar an 20/9/1760. Olympia Langrish, baintreach eile, a phós sé an turas seo. Bhí beirt mhac acu. Phós sé, don tríú huair, Jane Storey, agus bhí mac eile aige as an bpósadh seo. Deineadh Ard-Shirriam ar Cho. Chill Chainnigh de sa bhliain 1766. Chomh maith le Teach Greenville, bhíodh sé ag cur faoi i mBristol agus Hammersmith. Fuair sé bás i mí Deireadh Fómhair 1798 ag Caisleán Bhaile an Mhórdhaigh, gar do Chluain Meala.

' Patrick Reade, author of this song, did not like to live an idle poet but like Robert Burns was fond of husbandry. A farm of 100 acres prime land being vacant on Greene's estate, Reade—upon the principle of " fortune often favours the bold "—sent in his proposal in the shape of an Irish song for the family of Greene. A translation was called for, and subsequently he sang both on some festive occasion. The " bucks " (.i. poic) were jingling their purses at the halldoor of Greenville House, but to their utter dismay the farm was ultimately given to the aspiring poet—who, in the course of a few years, became a wealthy farmer '.

—S. Ó D.

6 .i. mar a cumadh an dán mar dhúshlán fúthu. Is cosúil gur athleagan den dán lenar bhain an file an talamh amach atá anseo againn.

Meadaracht: Rócán atá anseo. Tá ocht líne i ngach véarsa, agus trí chéim i ngach líne. Is í a fhoirmle 4(A + B), agus tá aicill ón gcorr go dtí an réidh tríd síos (ach amháin i gcás líne 8). Athraíonn cáilíochtaí agus crot an chéim dheiridh ó véarsa go chéile. Ní foláir an ' agus ' as líne 26 a chur le deireadh líne 25 chun an mheadaracht a shlánú. Is suntasach an ní go bhfuil briseadh ar aontas phatrún na gcéimeanna sa tríú véarsa, ar an gcuma go bhfuil difear idir na céimeanna deiridh sa dá leathvéarsa. Ach is cosúil gur mar seo a chum an file an véarsa, mar go bhfuil leanúnachas céille sna línte.

Léamha na Lámhscríbhinne: 1 a nuime. 2 tuile. 4 Achd mo phinne beag. 6 gcumaig. 7 cluithe. 8 sealadh. aghadh. 13 Toigemaoid. 14 ardeomaoid. 15 bhuaidh. 17 ghabhail. 18 áthas. 19 damhas. tínnte. 20 bhuaidh. 21 ceolte binn. 22 Sé dubhairt. 23 glacadhtha. 24 aigi. 25 Groineach. 26 mbeidhean. 27 Sé. 29 bladaireacht. 30 cúm. grás. 31. fa.

Tá téacs an leagain Bhéarla den amhrán a chum Pádraig Ó Riada ar fáil i lámhscríbhinní Prim, chomh maith. I lámhscríobh an Athar Pilib Ó Mórdha atá sé. Is léir as an leagan Béarla seo go raibh an bun-amhrán Gaeilge i bhfad níos faide ná an méid a fuair Seán Ó Doinn de:

Sit down, each hearty fellow here that's lovingly to mirth inclined,
And call for beer and liquor, lads, for Ennis porter or Spanish wine;
We've leases sealed and delivered, our settlement can now be seen—
And drink with all sincerity prosperity to Honest Greene!

We've none but friendly brothers here and bachelors of great renown
Who never drank excessively though merrily we spend a crown.
Our punch had such a relish, boys, we finished it—be not dismayed
So take the can, replenish it! And, Billy, sure I'll see you paid!

Those mountain bucks have struggled hard and bustled out with great disdain,
Whilst I by pen and eloquence could leisurely the point obtain—
It yielded real astonishment how cleverly we linked the game;
Henceforth they'll leave off bullying us, we'll evermore our freedom claim!

Their gold on this occasion they seriously did advance,
And for to ruin their neighbours they eagerly run the chance—
Beyond all expectation those heroes were over-ruled,
Their projects quite defeated and shamefully ridiculed!

Thus led by sordid avarice they horridly contrived the plot
And sure our case was tragical if banishment had been our lot
'Twas not by fraud or malice or by flattery we won the day
But Greene's extensive charity infallibly has crowned the play!

[117]

Long may he live in favour with great men of high degree,
And all his undertakings I pray may successful be,
His issue—male and female—obtain to high dignity,
And his course when consummated obtain true felicity!

His qualities most noble do very far surpass my skill,
Well worthy Maro's eloquence expressing them, or Homer's quill,
His tenants own his clemency—he's flexible, serene and mild
To all mankind in general a gentleman extremely kind.

The neighbours all, I promise you, congratulate our joyful news
Since by our skilful management we baffled their ambitious views!
Their schemes were all but vanity, their stratagems are now bewitched,
For Reade has keenly carried it, and Ballymony boys are fixed!

McDonald and young Phelan behaving with courage bold
And championlike engaging, not fearing their bags of gold—
Patrick Reade was faithful and eagerly he pushed it on,
And Grimes was drunk and crazy in the alehouse when all was done!

The affair may well be gazetted and modestly reduced to rhyme,
And Gahan's hospitality, who gallantly behaved that time!
We had flowing bowls of claret there—on providence and hope relying—
And Lahy's sermon ravished us, his morals were so edifying!

We humbly beg your pardon, dear master, if we offend
Since under royal George, sir, we call you our own surest friend
The grant being truly gratis, which caused us so much to load
And Greene the noble patriot shall always be our first toast!

Come toast around the table and raise up your loud ' huzzas ',
And sing your master's praises who daily deserves applause!
The conquest we completed and gave a decisive blow,
So take the bowl and drain it—'tis late, boys, and let us go!

20

' The only male keener at wakes I have ever heard of ' a deir Seán Ó Doinn faoi chumadóir na véarsaíochta seo, Nioclás ' an Chaointeacháin ' Breathnach. Leanann an Donnach air: ' The peasantry, in happier days, often took pleasure in throwing out some witty remark or in laying some innocent plot in order to bring out a new coin or two from the crucible of genius. I am of opinion this must have been the motive of some of the inmates of one house in which Nick had got a night's lodging, in placing the bed of the poet of sorrows between two doors through the crevices of which the wind had serenaded him all night in a variety of tones, some like the wailing of troubled ghosts. Nick gave vent to his feelings in the morning by reciting the verse in different tones. But a good breakfast restored his composure '.

2 *Garraí na mBan:* baile fearainn i bparóiste Cheanannais.
7 *Lionard Ó Nadaigh:* Bhí 21 acra talún i nGarraí na mBan ag 'John Naddy' sa bhliain 1825 (Deachuithe). Tharlódh gurb é seo gabháltas Lionaird, agus gurb é an Seán Ó Nadaigh seo a mhac.

Meadaracht: Meadaracht an-scaoilte ar fad atá sa déantús seo. Tá cuma an chaointe ar na céimeanna, ach amháin go bhfuil cúig líne i ngach véarsa. Tá comfhuaim i gceist i ngach líne, ach tá ord neamhrialta ar na céimeanna a bhfuil sí eatarthu. Tá an guta céanna meadarachta sa chéim dheiridh tríd síos laistigh den véarsa. Sa chéad véarsa is é atá ann (í–), agus sa dara ceann (a–). Tá amas idir céimeanna inmheánacha roinnt de na línte, ach níl aon ord ceart air seo. Is féidir glacadh leis an iarracht mar mheascán de na meadarachtaí a bheadh sa chaoineadh liteartha agus sa chaoineadh neamhliteartha.

Léamha na Lámhscríbhinne: 1 mbeidhinn. do. 2. i < ø. garadh-na-man. 3 chuiraidís. 7 O'Nadde. 8 cean. 9 beidhean. clinn maramh. 10 ceileabhar.

21

Is é an sagart atá á mhóradh sa dán seo an tAthair Tomás Ó Milléadha (1749-1805). Rugadh é i gCnoc an Iúir, gar do Mhóin Choinn, agus cuireadh oideachas air in Bordeaux na Fraince. Is sa chathair sin a oirníodh ina shagart é, agus bhain sé Dochtúireacht Dhiagachta amach ann chomh maith. Chaith sé tréimhsí ina shagart cúnta i bparóistí éagsúla, agus sa bhliain 1791 aistríodh ó Shliabh Rua go Callainn é mar shagart paróiste. Naoi mbliana a chaith sé ansiúd, agus i dtús na bliana 1800 aistríodh ar ais go Sliabh Rua é chun ceannaireacht a ghlacadh ar an bparóiste sin (cf. Carrigan 4, lch 212). Ba é an t-aistriú seo ó Challainn ócáid chumtha an dáin. Níl aon eolas tugtha ag Seán Ó Doinn maidir le cé a chum, ach gurbh ó Challainn é.

5-20 ' Father Millea, on going for slates at one time for the old chapel of Callan, was benighted, together with the owners of the horses—a number of farmers who had volunteered to draw the slates. They were attacked by a gang of robbers, and the priest—a man of herculean strength and stout build—fought determinedly with the men in self-defence, finally routing the bandits. About the time of this occurrence he was removed to the parish of Slieverue, to the regret of the Callan parishioners, one of whom composed a few stanzas in Irish expressive of the feelings of the people and extolling the revd. gentleman for the sound thrashing he had given the predatory gang with a blackthorn stick '.—S. Ó D.
5 *An Paorach:* Is cosúil gur chónaigh sé seo ag Áth an Iúir, i bparóiste na Cúlaí Móire, agus gur aige a bhí an tslinn.
9 *Plúr na ndéa-fhear:* an Paorach.
11 *Leon na Sláine:* an tAthair Seán Ó Murchú, ceannaire an Éirí Amach i Loch Garman i 1798. Cuireadh chun báis go barbartha é.
An tEaspag Éibhear: Eibhear Mac Mathúna, Easpag Chlochair, a chuaigh i

gceannas ar Arm Uladh i gcoinne fhórsaí Chromail tar éis bhás Eoghain Rua
Uí Néill i 1649. Crochadh é tar éis chath Scairbhsholais sa bhliain 1650.
24 Dhealrófaí as seo gur dhein an tAthair Ó Milléadha staidéar i gColáiste na
nGael i bPáras, chomh maith. ' The clergyman in question was one of the
Irish collegians, according to tradition, who had hurled in the presence of the
King of France and his nobles '.—S. Ó D.
25-28 Bhí mórmheas ag an bpobal ar an Athair Ó Milléadha. ' He lies buried at
Kilcolumb, Parish of Glenmore, Co. Kilkenny, where, if not canonized by
the Pope, he virtually is by the people—who take away the dust of his grave
for cures '.—S. Ó D.

Meadaracht: Leagan scaoilte de mheadaracht an chaointe. Ceithre chéim i ngach
líne. Tá amas idir gutaí aiceanta i gcúplaí áirithe, agus comhfhuaim idir dhá
ghuta aiceanta in aon líne ar uaire. Tá an guta aiceanta céanna sa chéim dheiridh
i ngach líne i gceathrú. Bíonn dhá leagan ar an gcéim dheiridh seo: (a––)
agus (é–). Tá (a––) úsáidte i gceathrúna 1, 5, 6; agus tá (é–) úsáidte i gceath-
rúna 2, 3, 4, 7. Tá easpa slachta ar an ord mar sin, agus b'fhéidir go raibh a
thuilleadh ceathrúna sa déantús ar dtús.

Léamha na Lámhscríbhinne: 1 Dochtúir Mileadh. chúm seasadh. 2 Challain-sa.
3 ghlacach. 4 gat. 5 Slia' Díle. a Paorach. 6 Fa. a tséamhfhear. 8 chúm.
9 Ráth. 12 cúm. 13 gailshionach. 16 chongbhadh. rig. fáine. lé. 17 do. 18 ach-
rain. 19 aghaidh. 20 ndeabhadh. pléir. bharrantas. 21 3. 25 Slia Ruadh.
buidheach. a méid. 27 Annso diósius. feacasa. 28. Cúm.

22

Amhrán ag moladh bhean tábhairne i mBearna na Gaoithe a bhí flaithiúil leis
an bhfile, Tomás Ó Muirithe. Anastás Bhán an t-ainm a bhí uirthi.

1 *An Bhearna:* Bearna na Gaoithe, baile fearainn i bparóiste Chill Mogeanna.
5-8 Teach tábhairne eile i mBearna na Gaoithe atá i gceist.
6 *Pilib:* Is cosúil gurb é seo fear céile Anastáise.
8 *Connors:* An tábhairneoir sa teach tábhairne eile.
 Drawer: ' The drawer here alluded to was William Maher, who had abducted
 Bríd Sweetman '.—S. Ó D. De réir an Donnaigh, uncail ba ea é seo don
 Liam Ó Meachair a chum uimhir **10** sa chnuasach seo. Chum an ' drawer '
 dán faoi Bhríd Sweetman (cf. Réamhrá).
16 .i. ' Tá bean an tábhairne chomh cineálta liom is a bheadh máthair '.
18 *Practice:* ' Nós ' nó ' caitheamh aimsire ' an chiall atá leis.

Meadaracht: Leagan scaoilte de mheadaracht an amhráin atá ann. Tá ceithre
chéim i ngach líne. Is ar an gcéim dheiridh i ngach líne atá an mheadaracht ag
brath, i ndáiríre. Tá amas sa chéim dheiridh seo, atá ar chuma (á–) tríd síos ach
amháin sa chúigiú ceathrú mar a nglacann (ú–) a hionad. Tá malartachas i
gceist sa tríú, ceathrú, agus san ochtú ceathrú, mar a nglacann an tríú líne an
fhoirm (a––) ar an gcéim dheiridh. Déanann an fhoirm seo comhfhuaim leis an

dara céim sna línte sin. Tá an chuma ar an téacs go raibh i gceist ag an gcumadóir amas a bheith idir an dara céim i ngach líne, leis. Tá sin amhlaidh sa chéad, sa cheathrú, sa chúigiú, agus san ochtú ceathrú ar an gcuma (a--), agus tá cuid mhaith amais neamhiomláin sna ceathrúna eile.

Léamha na Lámhscríbhinne: teideal: ' Bean Ósta Bheárna Gaoithe '. 1 do. 3 lé. 4 a' t-airgead. dtiocfaimísdne. 5 guidhimsa. lé. 6 a nioma. Anastás. 7 biotáille. 8 Achd. beidheas. a *drawer.* 9 ríadsa. cúm. is beidh. 11 bhfuíghmaoid. congmháile. baraile. 12 Beidheas. a' *jar.* ad taice. 14 mbúaladh. chúghain. 15 Achd. baraile. 16 margadh. sí'n. 17 Sí'n. órna. gráine. bhFlaitheas. thúirling. 18 chún. 19 carthannachd. 20 mhairin-se. sealadh thabhairt. dúga. 22 suaimhneas. 25 fhéin. tír sa. 27 Dia Luain. 28 Dia Domhnaigh.

Bhailigh Séamas Ó Duilearga an sliocht seo a leanas ar eideafón sa bhliain 1936 ó Phádraig Paor, ón nGleann Mór in oirdheisceart an chontae (Roinn Bhéaloideas Éireann, Ceirnín M 676) :

A fhuiscí chroí na n-anamann—ó mhaidin tite ar leaba
Nuair a bhím gan chiall gan aitheanta is é an t-achrann is fearr liom!
Thá mo chóta stractha, chaill mé leat mo charbhat—
Puins is ól go maitear leat is teangbhadh liomsa amáireach!

Nuair a raghaidh mé chun an Aifrinn beas an tsailm ráite,
Nuair a raghaidh mé ar mo ghlúine beas aghaidh mo chúil le *clergymen!*

Is léir gur leagan truaillithe atá sa mhéid sin de línte 9, 29-32.

23

Moladh ar mhuintir Thiobar Fhachna atá sna ceathrúna seo. Baile fearainn mór agus paróiste stáit in iardheisceart an chontae is ea Tiobar Fhachna. Moltar an áit go hindíreach sa chéad cheathrú trína rá go mbíonn dúil mhillteach ag muintir na gceantar maguaird seilbh a bheith acu ar an áit, agus go díreach sa dara ceathrú.

3-4 Is dealraitheach go bhfuil traidisiún áitiúil in úsáid san íomháchas anseo. Deir Carrigan (4, lch 229) ; ' The tradition of the battle of Tybroughney is still very vivid in the locality '. Sa bhliain 1185 a thit an cath seo amach, nuair a bhris Dónall Ó Briain, rí Dhál gCais, ar fhórsaí mhac rí Shasana, John. Bua mór a bhí sa chath do na Gaeil, agus níorbh fhada ina dhiaidh sin a d'fhill John ar Shasana. Maidir le tuairisc agus tagairtí, cf. Carrigan 4, lgh 228-9.

Meadaracht: Leagan an-scaoilte ar fad de mheadaracht amhráin. Tá na línte ceathairchéimeach, agus malartachas truaillithe atá iontu. Is í an deilbh atá ar an gcéad cheathrú ná 3A + B, agus ar an dara ceathrú 2(A + B). Ar an gcéim dheiridh amháin atáthar ag brath i gcomhair amais. (a-) is ea í seo in A, agus (ó) nó (á) in B. Tá comhfhuaim idir líne 1 agus líne 2, agus idir líne 5

[121]

agus líne 6. Is cosúil go mbeadh an dara ceathrú ar an deilbh chéanna leis an gcéad cheann mura mbeadh go bhfuil truailliú tagtha ar líne 7.

Léamha na Lámhscríbhinne: teideal: ' Sárfhearaibh Áluin Tiobareachtna '. 1 t-sléibh. 2 A féachaint ár rathmas. sparn. sparn. 3 mbaruíghe. sleaghtha. 4 Trasgradh. 5 a bur. ghnáthúigh. 6 Aga. áluin. Tiobareachtna. 8 eisdeachd. Spáin.

24

Is léir gur giota de chaoineadh atá sa téacs seo. Is é an áit atá á mallachtú ná Dúiche Ara, ceantar in iarthuaisceart Cho. Thiobraid Árann. Tuairiscíonn Seán Ó Doinn gur mná na Cúlaí Móire atá i gceist sa dara véarsa. Seo an cur síos a fuair sé ar ócáid an chaointe ó Risteard Ó Dirín, an té a thug dó é: ' In immediate compliance with an intimation from the *bean chaointe* (or keening woman) who was seated aloft on some vehicle in a funeral procession, the funeral suddenly stopped up on the flags or height of Coolaugh, when she gave vent to her pent-up feelings of indignation against the women of Duharrow and Coolaugh as they did not manifest such exterior tokens of heartfelt grief as might have been expected on the melancholy occasion. The deceased—a lady of the Kilcash and Garryricken branch of the House of Ormonde—died, it appears, whilst yet a young wife; and the keener was probably her nurse, judging from the endearing term " my child " which she used in the dirge '. Caitheann an Donnach an tuairim gurb í atá á caoineadh Margaret Butler, a fuair bás ar an 30/7/1743. Ba í seo an ceathrú hiníon ag an gCoirnéal Tomás de Buitléir agus a bhean, an Bhantiarna Iveagh (an bhean chlúiteach úd ar cumadh an t-amhrán ' Cill Chais ' mar mholadh uirthi). Bhí an Margaret seo pósta le George Mathew ó Dhurlas (cf. Lodge 7, lch 223).

8 *Piaras na hairce:* ' This was Mr. Pierce Corr, the old gentleman who occupied the prime farm of Coolaughmore, and had amassed therein—as was generally supposed—a large sum of money. Hence the keening woman's allusion to " the bag " of gold '.—S. Ó D.

Meadaracht: Rosc, le trí chéim i ngach líne. Amas idir an chéim dheiridh i ngach líne laistigh den véarsa. Sa chéad véarsa is (a–) a bhíonn sa chéim sin, sa dara véarsa (á–).

Léamha na Lámhscríbhinne: 1 mallachda. dhúthaidh Dúthara. 2 fiacla. 3 bo. dam. 4 Achd. cúntíosuídhe. gúnnaidhe. 5 mbeidheach. 6 mhallachda. 7 bhuailbhar. ghreadabhar. deárna. 8 Piarais. faoid t-athair.

25

Cuntas atá sa dán seo ar tharbh buile a bhí i gCill Chéise, baile fearainn agus paróiste i ndeisceart Cho. Chill Chainnigh.

2 *An Diúic:* Frederick Augustus, ' Duke of York and Albany ' (1763-1827). Ba é an dara mac ag an Rí Seoirse 3 é. Bhí sé i gceannas ar Arm na Breataine i

bhFlóndras i 1793-5, mar a bhfuair na Francaigh an lámh uachtarach air, agus chaith sé cúlú tríd an Ollainn. Bhí sé ina ardchcannasaí ar Arm na Breataine ar fad ó 1798 go 1809.

13 *The wars of Holland:* Cuireadh arm faoin ' Duke of York ' thuas go Flóndras i 1793 chun comhoibriú leis na hOstairigh i gcoinne na bhFrancach. Chuir na Francaigh an t-arm seo i leith i gcúil agus bhí orthu cúlú go tubaisteach trí Fhlóndras agus an Ollainn ó 1794 to 1795. Is léir go raibh an file seo, Dónall Rua Ó Riain, ina shaighdiúir san arm Breataineach úd.

47 Dhealrófaí gurbh fholáir an tarbh a lámhach de bharr a bhaolaí is a bhí sé.

Meadaracht: Ochtfhoclach atá anseo. Is í a fhoirmle 4(A + B). Tá ceithre chéim in A, agus trí chéim in B. Tá comfhuaim sna corrlínte sna véarsaí Gaeilge. Tá aicill sna véarsaí Gaeilge ón gcorr go dtí an réidh, ach níl sí ró-rialta mar go mbíonn ' i ' i gceist in ionad ' a ' ar uaire. Níl comhfhuaim ná aicill i gceist sna véarsaí Béarla, cé go bhfuil siad sin, leis, ar an bpatrún 4(A + B). Is é atá in A ná (a–) tríd síos, ach amháin i línte 35, 37 mar a bhfuil (i-) i gceist. Maidir le B, sa chéad trí véarsa is é atá ann ná (ú-), agus sa trí véarsa eile (í-). Is dealraitheach gur beag athrú atá ar an leagan seo ón mbunleagan.

Léamha na Lámhscríbhinne: 1 shiúbhal me. Sacsana. 3 mbeidheadh. cúm. 4 Franca. 5 Níor bh'ao'riod. bhaile <ø. 7 casaig. 8 faila. búireadh. 17 casaig. 18 sasamh cúm cómhraig. 19 ao'riod. 20 Achd. cómhnadh. 21 tapaidh. 22 buileadh. 23 mu'r. cúm. me fhéin. cúm. 24 réubach. cúntas. 33 oileán. 34 Bh'-fheár do. 35 a<ø. mheisneach. 36 fáigeadh. annsa. 37 a<ø. mheisneach. 38 fáigeadh. 39 láidir. réubadh. 40 do bhí. 41 dheirigheas. madain. 43 dheiraig. na sheasamh. 44 Mu'readh. 45 aoirdeachd. 46 Ná liatuídhe á dhioghuineachd,. bhí díos. 47 Achd. lámhaig. thá'n. bacaig.

26

' The song is in reference to a young hound the rambling bard was bringing as a present to Mr. Aylward, and to an altercation he had on the way with a stranger who used every importunity to get the whelp himself and offered one or more " yellow guineas " for it but in vain. The poet would not give it from his patron, Aylward, for " love or money ". Strong words were used on both sides when parting '.—S. Ó D.

1 *Baile 'Phoill:* Baile an Phoill, an baile fearainn i bparóiste Lios thar Ghlinn, is dócha.

3 *Gearalt Mac Innéirghe:* ó Bhaile an Phoill.

8 *Breed:* .i. pór an mhadra.

15 *Cnoc Mhaoláin:* baile fearainn i bparóistí Lios Mhac Thaidhg agus Chill Chéise. *Séamas:* Séamas Ó hAidhlirt ó Chnoc Mhaoláin.

22 Maidir leis an bhfile a bheith san arm, cf. uimhir **25** sa chnuasach seo.

33 Is gá ' tabhairt ' a fhoghrú mar ' tavairt ' anseo don mheadaracht.

Meadaracht: Ochtfhoclach atá anseo. Is í a fhoirmle 4(A + B). Tá trí chéim in A agus B araon. Tá aicill ón gcorr go dtí an réidh, ach níl sí ró-rialta mar go mbíonn

' i ' curtha in aonad ' a ' ar uaire. Is gá ' scillinge dhuit ' i líne 17 a rá mar ' scill'ne dhuit ', agus ' Is ' as líne 20 a fhoghrú mar shiolla deiridh i líne 19, chun an mheadaracht a choinneáil glan. Athraíonn cáilíochtaí na ngutaí aiceanta i gcéim dheiridh A agus B araon ó véarsa go chéile. An chéad véarsa amháin atá neamhrialta, áfach. Athraítear cáilíocht A leathshlí tríd an véarsa sin, ar shlí nach bhfuil amas idir línte 1, 3, agus 5, 7. Glactar leis go coitianta i bhfilíocht na nDéise, áfach, go bhfuil amas idir an dá fhuaim atá i gceist, mar atá ' ai ' agus ' í '. Is féidir bheith cinnte go leor gur beag athrú atá ar chrot an téacsa ón mbunchrot.

Léamha na Lámhscríbhinne: 1 ghabhal. Faoill. 2 gabhail. a ród. 3 teach. Gearailt. Inneirghe. 5 D'fhiafraig. 8 cúm. 10 do. 11 riafhá. nuime. 14 dhiaigh 15 Ria. Maolán. cúm. 16 chean. riadhail. 17 Tabharfadh. núte. sgillinne. 18 teibeas. 19 t-ainm. 21 Siubhailfhinn. 23 Achd. ar < ø. geallais. 24 scarfhin. tabhairfhinn. 26 fuinniméd. ghlóra. 27 Maolán. chasfhá-sa. 28 ngearrfhinnse. hórdlaig. dod chean. 30 caint. 31 nois. 32 be thír a ghabhair. 33 fuiris. a < ø. tabhairt. 34 bhfalainn. dhúthaidh. 35 ao'ne. seasadh. 36 tharrang. 37 iarra. 38 achrann. laoi. 39 Maolán. 40 beith. buídheach.

27

Amhrán a chum Dónall Rua faoi eachtra a bhain dó tráth dá dtug sé craiceann lao ó Chill Chéise go dtí fear darbh ainm Seán Ó Deá i gCill Lamhraigh. Tamall beag ar an mbóthar dó, ag Coill an Bháigh, d'iarr duine éigin air an craiceann a dhíol leis, ach dhiúltaigh Dónall Rua.

4 *Sléibhte Breathnach:* timpeall ar Shléibhte an Bhreathnaigh a chaitheadh an file cuid mhaith dá chuid ama. Deir John G. A. Prim i nóta le huimhir **28** sa chnuasach seo: ' Daniel Ryan, who was styled the Poet of the Walsh Mountains—he was called " Dónall Rua ".'

10 *Seán Deá:* Bhí ' John Day ' ag cur faoi i mbaile fearainn Chill Lamhraigh, paróiste Chill Lamhraigh, sa bhliain 1828 (Deachuithe).

Meadaracht: Leagan an-scaoilte de mheadaracht amhráin. Ceithre chéim i ngach líne. Níl iarracht déanta ach sa dara agus sa cheathrú céim ar amas a bhaint amach. Ar an bhfuaim ' a ' atá an t-amas sa dara céim tríd síos sna trí cheathrú, ach amháin i líne 2 mar a bhfuil an fhuaim ' o ' i gceist (ach b'fhéidir gur ' stadadh ' ba cheart a bheith ann seachas ' stopadh '). Is é atá sa cheathrú céim sa chéad cheathrú (ú–). Malartachas ar mheadaracht an amhráin atá sa dá cheathrú eile. 2A + B + A an patrún atá orthu. Is ionann an chéim dheiridh in A agus (á–), agus is ionann an chéim dheiridh in B agus (a– –). Tá comhfhuaim in B idir an dara céim agus an chéim dheiridh, rud a chuireann crot deas leanúnach ar an meadaracht. Is féidir gur athraigh an file an córas meadarachta sna ceathrúna seo toisc gur comhrá aighnis atá ar bun iontu. Más ea, ní gan snas a dhein sé sin. Tá líne 12 neamhrialta, sa mhéid is gur (é–) atá sa chéim dheiridh. *Léamha na Lámhscríbhinne:* 1 Cill Céise. maidean. sea. me. 2 g-Cill Ibheá. stopag. 3 Sacsana. dhiúltaim. 4 sea cloiseadh. 5 e. t'ainm. me. ag < ø. cluis. tráchd. 6 cheapa. 7 a' croicean. a' t-airgead. 9 dhiola. fhéin. croicion. ag < ø. 10 thabhairfeadh. 11 dtabhairfá. a < ø. agad. dhiontóghach. m'aigne. 12 dhíolfann. me. g-Cill Céise.

28

I lámhscríobh Phádraig Uí Néill atá an dán seo. Tá nóta scríofa isteach faoi bhun an teidil ag John G. A. Prim mar a leanas: ' by Daniel Ryan, who was styled the Poet of the Walsh Mountains—he was called Dónall Rua '. Is léir gur chreid Prim gurbh é Dónall Rua Ó Riain a chum, mar sin. Ach fear ba ea Pádraig Ó Néill a raibh an nós aige déantúis dá chuid féin a chur i leith daoine eile (cf. *Éigse* 2 (1940) lgh 123-36 agus 267-73), agus tá seans maith gurbh é féin a chum an dán seo, leis. Is túisce go mór a bheifí ag súil leis an gcuma léannta atá ar an dán ó pheann an Niallaigh ná ó bhéal an Rianaigh, ar ndóigh. Tá ceartúcháin go flúirseach sa lámhscríbhinn, agus is i láimh Sheáin Uí Dhonnabháin atá siad seo. Ba é an scoláire mórchlúiteach sin a chuir an chóip go dtí an tUrramach James Graves ar dtús, agus thug Graves do Prim í.

Tá an teideal seo ag an Niallach ar an dán: ' Verses written on Mary Walsh, A.D. 1818 '. Ba iníon í an Mháire Bhreathnach seo le Micheál Breathnach ó bhaile fearainn na Fearnóige, paróiste Dhún Cheit. Tá ginealach an teaghlaigh seo tugtha in Carrigan 4, lgh 19-21. Luaitear mórsheisear mac agus beirt iníon de chlann ag Micheál Breathnach. Ainmnítear iad siúd go léir ach iníon amháin. Tá bearna fágtha dá hainm siúd, ach is léir gur Máire ba cheart a bheith ann. Phós sí Seán Ó Dúill ó Lios Dreoilín agus fuair sí bás i 1841, in aois a daichead di. Fágann seo nach raibh sí ach seacht nó ocht mbliana déag d'aois nuair a cumadh an dán molta seo uirthi.

2 *Micheál*: Micheál Breathnach, athair Mháire.

4 *Phœbus*: Phœbus Appollo, dia clasaiceach na gréine is na háilleachta. Dheal-rófaí as an tagairt ' Phœbus gach lá ' gurb í an ghrian féin atá i gceist. Bhí bandia chlasaiceach ann, leis, darbh ainm Phœbe.

5 Ar an bhFearnóig atá Sliabh gCruinn, 966 troigh ar airde. Is é an bheann is airde i mbarúntacht Uí Deá é. ' Tory Hill ' a thugtar sa Bhéarla air.

6-8 Chaill an chraobh seo de na Breathnaigh a seilbh i bPlandáil Chromail sa bhliain 1653. De Philib Breathnach a baineadh Cnoc Mhaoláin. Ba dhear-tháireacha don Philib seo Oilbhéar agus Roibeard. ' 'Liféar Liath ' a thugtaí ar Oilbhéar. Ba mhac dá chuid seo, Roibeard, a bhí mar shin-seanathair ag Máire.

11 Tagairt do bhunús an tsloinne ' Breathnach ' (' *Walsh* ').

12 Tagairt, b'fhéidir, do líon na clainne (mórsheisear dearthár agus beirt deirféar), nó do líonmhaireacht shliocht Bhreathnaigh i gCo. Chill Chainnigh (cf. Carrigan 4, Innéacs).

13 *Sútúin*: muintir Shútúin, atá seanbhunaithe i gCo. Chill Chainnigh. Ní foláir nó bhí gaol ag Máire le teaghlach acu.

14 Cáit Ní Ógáin ba ea máthair Mháire. Phós sí Micheál Breathnach thart faoi 1786 (Carrigan 4, lch 20).

15 Cf. nóta le línte 6-8.

16 *Púca:* Bhí 'Liféar liath pósta le Ellen Den, rud a d'fhág gur sin-sin-seanmháthair í an Ellen seo do Mháire. Iníon ba ea Ellen le Fulk Den. Is dealraitheach go bhfuil imeartas focal éigin i gceist le ' glaoite cois trá '. Is léir gur ' Fulk ' atá i gceist le ' Púca ', agus tharlódh go bhfuil an t-imeartas focal bunaithe ar an logainm ' Ráth Fuilc ' (i bparóiste Challainn).

17 Craobh mhór eile de na Breathnaigh ba ea Breathnaigh Chill Chreagáin, gar do Mhóin Choinn (cf. Carrigan 4, lch 155-6). Bhí Caisleán Chill Chreagáin ag duine díobh, ' John of Kilcreggan ', sa bhliain 1606. D'fhógair muintir Rí Liam ina mheirleach sa bhliain 1691 ' John Walsh, Esq.' ó Chill Chreagáin, mac mic is cosúil leis an bhfear thuas. Is dóichí gurb é an dara ' Seán Chill Chreagáin ' seo atá i gceist anseo.

18 Ba le sinsir Mháire Cnoc Mhaoláin, i bparóiste Dhoire na hInse (cf. nótaí le línte 6-8).

19 Baile fearainn i bparóiste Dhoire na hInse is ea Crua-Bhaile. Bhí an t-ainm Adam le fáil ar na Breathnaigh (cf. Carrigan 4, lch 155). Bhí caisleán ag Breathnaigh an tSléibhe, an chraobh is uaisle den sloinne, i nDoire na hInse, agus is cosúil gur do dhuine acu sin atáthar ag tagairt.

20 *Orum:* Cf. Carrigan (4, lch 230), viz. ' an Orum Walsh who, they say, lived in Oldcourt and founded Templeorum church '.

21-2 Maria Leszczynska (1703-68) atá i gceist anseo. Ba iníon í le Stanislaw Leszczynska, a bhí ina rí ar an bPolainn ó 1703 go 1709 agus ó 1733 go 1735 leis an teideal Stanislaw 1. Nuair a cuireadh as an ríocht é tar éis a chéad thréimhse chuaigh sé ar díbirt le Maria. Bhí an drochrath air go dtí gur shocraigh sé go bpósfadh a iníon rí óg na Fraince, Louis XV, sa bhliain 1725. Sin í an chiall, de réir dealraimh, atá le Maria a bheith ' pósta mar chéile ag a Dád '.

31-2 Tagairt do dhíshealbhú na mBreathnach ag fórsaí Chromail i 1653 (cf. nótaí le línte 6-8).

33 *Piaras Bhaile Uí Fhinn:* Piaras Breathnach (1744-1819), ó Bhaile Uí Fhinn i bparóiste Fhiodh Dúin, fear a scríobh ' an elaborate, but very unreliable Pedigree of the Walsh Family ' (Carrigan 4, lch 75; cf. leis, *ibid.*, lch 176). Tá tagairt ag Seán Ó Doinn dó in alt ar scoláirí Gaelacha a cheantair dhúchais in *JKAS* 3 (1854) lgh 8-10.

36 Bhí talamh agus caisleán ag Breathnaigh an tSléibhe i bparóiste Chill Bheacháin (Carrigan 4, lch 172; O'Kelly, lch 167).

38 Cuireadh sinsir Mháire as seilbh (cf. nótaí le línte 6-8).

Meadaracht: Leagan den rócán atá sa dréacht seo. Is í a foirmle ná 4(A + B), le trí chéim i ngach líne. Tá cruachadh siolla coianta inti. (é-) is ea an chéim dheiridh in A i ngach véarsa ach amháin an ceathrú ceann mar a n-athraíonn sí go (í-). (á) atá sa chéim dheiridh in B tríd síos. Tá aicill tríd síos idir an chéim dheiridh in A agus an chéad chéim in B. Tá comfhuaim idir an chéad agus an dara céim in A de ghnáth. Athraíonn cáilíocht an ghuta sna céimeanna comhfhuaime sin, agus tá an chomhfhuaim in easnamh ar línte 13, 29. Ní foláir gnáth-dhul na cainte a athrú i líne 19 ar mhaithe leis an gcomhfhuaim tríd an bhéim a chur ar ' baile ' seachas ' Crua '.

Léamha na Lámhscríbhinne: 2 Sí. 8 na. 9 h-én-neach. 10 mbí. 12 dha. 17 Sí ch-Sheaain. Chille. 18 n-ard-mharcach. Maoláin. 22 'ga. 23 bhéarsa. 24 maighdin ghil (ceartaithe ó ' maighdean gheal '). 33 Uí < ø

29

Níl aon eolas tugtha ag Séamas Ó Braonáin faoi cé a chum an t-amhrán seo. Deir sé gur leis an bhfonn ' Nelly Gray ' a dheintí an t-amhrán a chanadh, agus tá an nóta fada seo thíos aige faoin ábhar:

' The Lamentation of Thomas Power, who was hanged about the year 1770 for the abduction of Mary Roberts of Kilaloe near Kilmanagh. This Mary Roberts—being the only child of a wealthy farmer—was carried away by abduction by her near neighbour John Delaney of Kilbrahan and a party of Whiteboys; and as Delaney's sister was married to Power's brother at Poulecapple Power became one of the gang. But as they were carrying away the young girl one of the party missed his hat at the house of Roberts, and as he understood that his hat may afterwards convict him the party returned to the house to search for it. And old Roberts, having encountered with some of them, he was killed in the fray. So then for the double crime of murder and abduction a warrant was granted for the apprehension of Power and Delaney. Power was taken, but Delaney absconded and was never since heard of. Power would be pardoned and all prosecution withdrawn if he would marry the girl, but he refused. The Marquis of Ormond, his landlord, promised his father that he should never be hanged. And, as Mr. Scott of Scotsborough was the landlord of Roberts, he was equally zealous and exerted himself to get satisfaction for the murder of his tenant and the injury done to his only daughter. However, at the Spring Assizes of Kilkenny of about 1770, he [.i. an Paorach] was found guilty by the sole evidence of Mary Roberts and sentenced to be hanged. The Marquis of Ormond wrote to King George the Third for the reprieve and liberation of Power, which was readily granted by His Majesty. But the reprieve came a day too late. Some say that it was delayed on the way to Kilkenny by some artifice devised by the opposite party. Others say that he was executed two days before the appointed hour. The lamentation is said to be composed by himself in Kilkenny Gaol, and the song was always a great favourite among, and universally sung by, the peasantry of this locality on account of its beautiful plaintive air and the estimation in which Power was held by all who knew him. For in all the manly exercises of the day and the rural sports of those times there was no person to be compared to Power in activity, agility, and manly prowess '.

Seán de Buitléir, an 17ú hIarla hUrmhumhan, atá i gceist sa chuntas sin. ' Seán an Chaisleáin ' a thugtaí air (cf. uimhreacha **10, 11** sa chnuasach seo).

Tá an téacs seo curtha in eagar cheana ag R. A. Breathnach in *Éigse* 1 (1939) lgh 14-21, mar aon le mion-nótaí ar an gcanúint.

Tá leagan truaillithe den amhrán ag Seán Ó Doinn, mar a leanas:

Nach dearbh an scéal díbhse go léir
Gur shíleas-sa féin an uair úd
Go rabhamair go léir fé arm go tréan
Ar bord loingeas ag gaoth ár luascadh ?

B'fhearr liom ná an Fhrainc, is ná an stát so gan roinnt,
Ná a bhfuil aige Ó Coileáin is agá chlainn in Éirinn,
Go mbeinnse insa Spáinn, is mo ghunna agam im' láimh
Is mé im' sheasamh i ngarda an *Mhajor.*

Mo chreach is mo chrá, ní mar súd atá,
Ach mé i ndínsiúinín gránna im' aonar—
Mo chosa á gcrá, is boltaí ar mo lámhaibh,
Is mé i gCill Chainnigh an smáil ag géarghol !

Seisear 'bhí againn ann daor insa chúis,
Is ochtar ar lá an áir déanach,
Nuair a dhealaigh an trúp is a traochnaíodh an triúr
D'fhág faoi chumha lem' ré mé.

Bhí duais agam le fáil, is mé a fhuascailt ón mbás,
Is triúr a thabhairt slán—*all* daor liom,
Dá ndéanfainnse *informing* don mbuín úd a chnag mé
Is d'fhág mé go cásmhar tréithlag.

Ní dhéanfainnse súd ar shaibhreas na Mumhan
Go gcuirfear mé i gcomhra ghléigeal—
Go sínfear mo chúl le téada Shráid Eoin,
Is go gcuirfear mé ins an úir gan aon choir !

Achainímse go deo ar Pheadar is ar Phól,
Ar Mhaighdean an órfhoilt ghléigil,
Treascairt ar an dream d'fhág mé go fann
Is 'chuir mé do chlár glaoite.

. . . .
. . . .
'Chuir mo chúram le fán is mo mhnaoi bhocht ar an ard—
Is é an tiarna, mo chrá, do dhaor mé !

Na Sasanaigh atá i gceist le ' Ó Coileáin ' thuas. Ní fios cén ' tiarna ' atá i gceist
sa líne dheireanach, murab é an giúistís sa chúirt é. Tá an nóta seo ag an Donnach
lena leagan: ' The first and last verses must have been for some person other than
Power, who never had any idea of going to Spain and was not married. " Jack o'

[128]

the Castle ", in whose time he was hanged, did all in his power towards procuring a reprieve, but in vain, or rather too late. For I am told it actually arrived whilst the body was yet warm after being taken down, but the vital spark had fled '.

3 *Iompaigh an duilleog ar an taobh:* Cleas leis an mBíobla chun go bhféadfaí bréag a insint gan bheith faoi bhrí na mionn i gceart.
11 *Clann Siobháin:* ' The Sons of Jude is an appellation given to the Whiteboys '. —S. Ó B.
18 *Bold Charley:* ' His beautiful grey horse '.—S. Ó B.
31 *Sráid Eoin:* .i. i gcathair Chill Chainnigh, mar a gcrochtaí daoine go poiblí.
34 *Insa bar:* .i. os comhair na cúirte.

Meadaracht: Malartachas ar mheadaracht amhráin. Is í an fhoirmle ná 2(A + B). Tá ceithre chéim in A agus trí chéim in B. Tá aicill ón gcorr go dtí an réidh tríd síos. Is é (é–) atá i gcéim dheiridh B tríd síos, agus athraíonn patrún chéim dheiridh B ó cheathrú go chéile. Lasmuigh de chruachadh, tá an mheadaracht rialta.

Léamha na Lámhscríbhinne: 1 Ribárd. 2 Caisg. 3 Umpig. 5 riabh. 6 cloumh mo sceibhe. 7 de geulug úaim. 9 hissá. guin trí sa tsráid. 11 cuiním. 12 séada. 15 go garrad. an tam me mo carad. 16 mhbanfidh. cean. feúrr. 17 partin. agiubh. brauch. 20 tabhrach. Pearach. 21 mar do ceilisa tá. 22 dinsguinidh. 23 laibh. 24 fí duch ge dérbhrid. 25 duas agum. 26 dear. 27 do dheaning. mín ghil. crag me. 28 tlaugh. 29 seibhris. dheanangse. 31 a tsrad Eon. 32 mbhes. 33 bo dhagh. bo clíota. 34 sasubh. 35 dá ghuach an tsraid. 37 com Peadar. com Pól. 38 com na neimhe. air labh Dé an. 39 bhonach. cean. 40 om dhiagse. 41 Dá miangse. houl dos na gratí. 42 darafu. 43 riccoch se. 44 Pearach.

30

Micheál Ó Riada, ó cheantar Shléibhte an Bhreathnaigh, a thug focail an amhráin seo do Sheán Ó Doinn. Tá mar theideal ag an Donnach leis an amhrán ' Séamas Breathnach ós na Sléibhte Breathnach '.

' Jem Walsh of the Walsh Mountains had carried off the young woman in question from the Co. Waterford, across the Suir and " over the border " into the County Kilkenny '.—S. Ó D.

' Old Michael Reade gave the following details in reference to James Walsh and another mettlesome horse which he [Walsh] had previous to the abduction. A gentleman—whose name he [Reade] could not remember but who was popularly termed "Reeng More"—rode so hard and so far one day in a hunt that his horse, growing tired, began to slacken its speed. Passing by Walsh's place, and knowing that he had a dashing horse, the gentleman asked for the horse for the remainder of the day. Which request was instantly complied with, and the tired animal taken in charge. The sports of the day being ended, the gentleman asked Walsh whether he might sell the horse and, if so, the price. Walsh replied that he would not, but would feel happy in making a present thereof to so good a gentleman. " Reeng More ", or " Vore ", subsequently hearing of the troubles Walsh had

[129]

brought on himself by his love-adventures and remembering the generous affair of the hunt-day, used his interest and influence so effectively as the assizes came on that he succeeded in procuring his acquittal—thereby verifying the old adage " is fearr focal insa chúirt ná bonn sa sparán ".'—S. Ó D.

Is deacair na daoine atá i gceist san amhrán agus sa chuntas thuas a aithint. Bhí ' Séamas ' mar ainm baiste ar chuid mhaith de na Breathnaigh i gceantar Shléibhte an Bhreathnaigh san 18ú céad (cf. Carrigan 4, 175-6, 240). Ní féidir a rá arb é an Séamas Breathnach atá i gceist an fear den ainm sin (1713-82) ón Ráithín, i bparóiste Fhiodh Dúin. Tá an scéal chomh casta céanna chomh fada is a bhaineann leis an duine uasal úd ' Reeng More ' nó ' Reeng Vore '. Seans gur duine de mhuintir Ringwood é seo, sliocht a bhain le tuaisceart Cho. Chill Chainnigh. Tá ' Ringwood ' le fáil mar logainm i bparóiste an Robhair, áit a raibh ' Ringwood House ', agus is dealraitheach go raibh baint ag an sliocht leis an gcuid sin den chontae, chomh maith. Seans gurb é an fear atá i gceist an William Ringwood úd ó Bhaile Sheáin ar cruthaíodh a uacht i 1794 (Arthur Vicars, *Index to Prerogative Wills of Ireland*, 1536-1810, Baile Átha Cliath, 1897).

1 *Droichead na Tuaire:* I bparóiste Theampall Mhichíl, in iardheisceart Cho. Phort Láirge. Is cosúil gur chuaigh Breathnach daichead éigin míle ó bhaile ag lorg na mná.

5 *Polly:* Ainm ceana ar an gcailín. Is dealraitheach gur ' Póilín ' a hainm ó cheart.

15 Gaolta an chailín a bhí ar thóir an Bhreathnaigh.

17 Shnámh an capall thar an tSiúir agus an Breathnach ar a dhrom.

21 *Teora:* tá an tSiúir mar theorainn idir Co. Phort Láirge agus Co. Chill Chainnigh.

24 .i. ' an ligfidh tú led ' fhianaise an Breathnach a bheith daortha sa chúirt de bharr an fhuadaigh ? '

26 *Thar toinn:* thar abhainn na Siúire.

28 *Baile Uí Ghroinn:* nó Baile an Ghronnaigh, baile fearainn i bparóiste Ónaing·

33-8 Chuaigh an Breathnach, más fíor don ráiteas seo, ar a choimeád go Talamh an Éisc tar éis na heachtra. Is deacair a rá cad é an cogadh atá i gceist i línte 37-8, murab é an cogadh i gCeanada idir na Sasanaigh agus na Francaigh (1754-9) é. Más ea, chuirfeadh na tagairtí sna línte seo dáta an fhuadaigh timpeall ar an mbliain 1750.

Tá leagan den amhrán seo ó Cho. Phort Láirge le fáil i Nioclás Tóibín, *Duanaire Déiseach* (Baile Átha Cliath 1978) lgh 76-8. Bhí an t-amhrán ar eolas i gCiarraí, leis (cf. Kenneth Jackson, *Scéalta ón mBlascaod* (Baile Átha Cliath 1938) lgh 42-7).

Meadaracht: Rócán atá anseo, ar an bhfoirmle 4(A + B). Tá trí chéim i ngach líne, amas idir an chéim dheiridh de gach re líne, agus aicill ón gcorr go dtí an ré dh. Mar mhaisiúchán breise, tá comhfhuaim idir an chéad agus an dara céim i gcuid mhaith de na línte. Is dealraitheach gur cheart ' fál ' bheith in ionad ' balla ' i líne 18 ar mhaithe leis an aicill, agus gur ar mhaithe le comhfhuaim

[130]

le ' tapa ' atá ' balla ' tagtha isteach. Athraíonn cáilíochtaí na gcéimeanna deiridh ó véarsa go chéile. Níl amhras ach gur ar an gcuma seo—leagan scaoilte den ochtfhoclach ach na príomhghnéithe a bheith cruinn—a cumadh an téacs.

Léamha na Lámhscríbhinne: 1 ghcóbhailt. 3 Casag. 4 níos. 6 i < ø. suaimhneas. na· 7 liom. 8 gcóireoghan. le. 10 mo fhéin. 11 ga' h-aon'e. 12 tangadar. 14 dhonn. 16 bhéarach. 17 calaith. 18 tapadh. 19 do bhár. 21 aindear. 22 mheasam. gur m-óg. 23 na. 24 liga. 25 beidheadh. 26 a < ø. scuaba. 27 chroidhe. 28 Baile a' Ghrinn. 33 liom. 35 Sacsana. 36 bal. m'fhéidar. e. a < ø. 37 gcoga. bpiléir. me. 38 Stripálta. thrúis. 39 thám. geabhta. 40 liga. me. annsa.

31

Éalú Mháire Ní Chinnfhaolaidh ó pharóiste Fhiodh Dúin le Liam Ó Meachair ó Chill Lamhraigh atá i gceist san amhrán seo. Is cosúil as a bhfuil ráite thíos gur sa bhliain 1812 a thit an eachtra amach. Deir Seán Ó Doinn gurb ionann an Liam Ó Meachair seo agus an scoláire Liam Ó Meachair ar foilsíodh an cnuasach laoithe *Blaithfleasg na Milsean* faoina ainm sa bhliain 1816 (.i. an fear a chum uimhir **10** sa chnuasach seo). Ach, ós rud é go bhfuair an Liam Ó Meachair scoláire seo bás thart faoi 1817 in aois a cheithre fichid nó mar sin dó, ní féidir gurb é atá i gceist anseo. Deir an Donnach gurb é leannán Mháire Ní Chinn-fhaolaidh an tríú Liam Ó Meachair, agus tá níos mó dealraimh leis an ráiteas seo uaidh. Mac dearthár don chéad Liam Ó Meachair (an ' drawer '—cf. uimhir **22** líne 8 sa chnuasach seo) ba ea Liam scoláire, an dara Liam. Is é an fear atá i gceist san amhrán seo an tríú Liam. Is é an dealraitheach go mba mhac dearthár é sin le Liam scoláire, agus go mba é an ' William Meagher ' é a raibh 34 péirse talún aige i gCill Lamhraigh in 1828 (Deachuithe).

Tá Dónall Rua ag tagairt san amhrán don tslí ar theastaigh ó dheartháir Mháire Ní Chinnfhaolaidh an dlí a chur ar an Meacharach. Bhí ainm an bhraith-eadóra ar an gCinnfhaolach seo, mar gur thug sé fianaise i gcoinne duine de mhuintir Chuilleannáin a raibh gníomhaíocht threascrach curtha ina leith ag Coimisiún Speisialta i gCill Chainnigh sa bhliain 1811. Bhí an Cuilleannánach ar dhuine de scata a raibh cúiseanna polaitiúla curtha ina leith, agus deir Seán Ó Doinn gur tháinig Uaitéar de Buitléir, an 18ú hIarla Urmhumhan, abhaile ó Shasana faoi dheabhadh nuair a chuala sé an scéala. Bhí an tIarla Urmhumhan ina Ghobharnóir ar Cho. Chill Chainnigh, agus stop sé an triail. Bhí an Cuillean-nánach daortha cheana, áfach, agus crochadh é (cf., leis, Carrigan 4, lch 246, mar a ndeirtear gur ' Quinlan ' ba shloinne don fhear a crochadh).

' The abduction of Mary Kineely. Her brother was not a " common informer ", but was obliged to bear evidence on the trial of a man named Cullinane, who was afterwards executed at the Countess's Bush. . . . It appears that although Kineely, the so-called " informer ", had taken legal proceedings against William Maher and represented the affair as an abduction case it was not one in reality, as his sister Mary refused to swear that she was taken away by force and against her will. Her conduct regained her the goodwill and favour of the peasantry, who now regarded her " fair fame " as cleansed from the indelible stain that rested on her brother's character '.—S. Ó D.

[131]

1 *An Francach:* Bhí súil ag idir údaráis is phobal le teacht an airm Fhrancaigh go hÉirinn sa bhliain 1812 (cf. Galen Broeker, *Rural Disorder and Police Reform in Ireland*, 1812-36 (London 1970), lgh 24-5.

3 *Faichín:* baile fearainn i bparóiste an Bhaile Nua, in oirdheisceart Cho. Thiobraid Árann, buailte le Co. Chill Chainnigh.

4 *An Loinneán:* abhainn atá mar theorainn idir Co. Chill Chainnigh agus Co. Thiobraid Árann sa deisceart. Is trasna na habhann seo a rug an Meacharach an bhean leis, go Faichín.

Éirleach: An Cinnfhaolach a dhein an ' t-éirleach ' agus é ag cuardach don bheirt.

9 *Father Farrell:* Sagart a chabhraigh le Liam Ó Meachair chun teacht slán ón gcúis a bhí ina choinne. B'fhéidir gur chuir sé cuing an phósta ar an lánúin. Bhí ' Rev. P. Farrell ' ag cur faoi in Ard-Chluain i bparóiste Fhiodh Dúin i 1829 (Deachuithe).

11-2 Litir an tsagairt agus focal Mháire a thug an Meacharach saor ón gcúirt.

15 *An baile:* an áit a raibh gnáthchónaí ar an Meacharach, ní foláir. Tá Dónall Rua ag cur in iúl dó anseo go bhfuil an Cinnfhaolach ag faire amach dó ansiúd.

An teora: An teorainn idir contaetha Thiobraid Árann agus Chill Chainnigh. Bhí an Cinnfhaolach ullamh chun breith air a thúisce is a rachadh sé ar ais go dlínse Chill Chainnigh. Is cosúil go bhfuil iarracht den mhagadh anseo, mar go raibh an chúis i gcoinne an Mheacharaigh caite amach cheana (cf. línte 9-12).

16, 18 *Buaile an Fhinn/an Bhuaile:* Buaile Uí Fhinn, nó Baile Uí Fhinn, i bparóiste Fhiodh Dúin. Is cosúil gurb as an áit sin na Cinnfhaolaigh. Tá Sceach na Contaoise, mar ar crochadh an Cuilleanánach, 4 mhíle siar ó thuaidh ón áit. díreach ag an teorainn idir an dá chontae. Is dealraitheach go bhfuil an file ag tabhairt foláirimh don Mheacharach go bhfuil i gceist ag an gCinnfhaolach an úsáid chéanna a bhaint as sceach atá i mBuaile Uí Fhinn.

20 Is fearr an seans a bheadh ann nach gcuirfeadh an Cinnfhaolach isteach a thuilleadh ar an Meacharach dá mbeadh clann ar an lánúin.

21-4 ' The informer is represented as searching the country for his fugitive sister '.

—S. Ó D.

24 *Geata Chill Lamhrach:* ' The old turnpike gate of Killamory '.—S. Ó D.

Meadaracht: Leagan scaoilte den amhrán ceathairchéimeach. Ceithre chéim i ngach líne. Ar an gcéim dheiridh i ngach líne amháin atá an t-amas, agus níl sin féin ró-rialta. (é–) atá sa chéim seo sa chéad, dara, tríú agus cúigiú ceathrú. (ú–) atá sa séú ceathrú, agus b'fhéidir gur dhein an file seo mar cheathrú cheangail. Tá an ceathrú ceathrú an-neamhrialta, lena céimeanna deiridh ar an gcuma seo: (é–), (i–), (ó–), agus (ó–). Tá comfhuaim i gceist sa chuid is mó de na línte, ach athraíonn cáilíocht an ghuta sa chomhfhuaim seo ó líne go líne. An ceathrú ceathrú is measa ón taobh seo de, leis, mar go bhfuil comhfhuaim in easnamh ar línte 14-16. Ós rud é go bhfuil líne 13 rialta ó thaobh amais agus comhfhuaime, is dealraitheach go bhfuil idir scaoilteacht chumadóireachta agus thruailliú béaloidis i gceist sa trí líne eile. B'fhéidir gur dhá cheathrú atá tite le chéile. Tá easpa comhfhuaime ar línte 17, 19, 22, chomh maith, agus is deacair a shamhlú nach mar seo a chum an file iad.

[132]

Léamha na Lámhscríbhinne: teideal. ' Máir' Nígh Cinéala '. 1 Tiocfhus. 2 Cinéala. 3 Faithín. 5 Mháir' Nígh Cinéala. 7 cuid. 8 méarle'. 9 fao. 10 Go mo búan. a' t-seasadh. 11 leitear. Chainnich. 12 bhruingeal. 13 Uilliaim gheal. 14 deabhadh. sealadh. bhord. 15 namhad. 16 Buaile. 17 Uilliam. deirim-sa. 18 Seachain-sa. 19 Cuingaig. chuaird. 20 Chinéala. 21 annsa. 24 craobh'al. aindear. aiga. Chillúireach.

32

Amhrán grá é seo a raibh an-tóir air sna Déise chomh maith le hOsraí. Gheobhfar leagan Déiseach de i Nioclás Tóibín, *Duanaire Déiseach* (Baile Átha Cliath 1978) lgh 98-9. Ní fios cérbh í an Bhríd Ní Cheallaigh atá i gceist, ach tá an t-údar suite i gceantar iarthuaisceart Cho. Chill Chainnigh sa leagan seo.

1 *Raithneach: Raithneach Mór,* so called from ferns of a large size which grow on its sides. It is the name of the hill at whose base the Munster river rises from a well, receiving at Ballyline bridge two other streams, one of which runs from Kilmanagh. It winds its course towards Callan, where it takes the name of *Abhainn Rí* '.—S. Ó D.
24 .i. ' Bheinn sásta í a phósadh mura mbeadh aon spré féin le fáil agam léi '.
39 *Phœbus:* Phœbus Appollo, dia clasaiceach na gréine. Dá bharr sin, an ghrian féin.

Meadaracht: Rócán atá i gceist, ar an bhfoirmle 4(A + B) agus le trí chéim i ngach líne. Níl amas go rialta, áfach, ach idir na céimeanna deiridh sna línte. Is iad na céimeanna seo sa chéad véarsa (é–) agus (í); sa dara véarsa (é–) agus (ou); sa cheathrú véarsa (á–) agus (ú); is sa chúigiú véarsa (é–) agus (ú). Athraíonn céim B leathshlí tríd an tríú véarsa ó (ou) go (í), agus is beag amhras ach go bhfuil dhá véarsa éagsúla sleamhnaithe le chéile anseo. Tá líne 1 neamhrialta, agus is dealraitheach nach é seo an crot bunaidh. Tá aicill coitianta, agus is cosúil go raibh sí tríd síos san iarracht ar dtús.

Léamha na Lámhscríbhinne: teideal: ' Bríghid Ní Chealla '. 2 Sea. dtúis. shaol. 3. buachailuidhe. 8 bhreóghadh. 9 Chealla. 10 meargaí. 13 lé. 15 Sé. 16 tsléibh. 17 dhéanadh. 19 ndiaig. 20 bhéaradh. a nónn. 21 ná. 23 nár bhfuiris. 24 bpósfhainn. a'ruid. 26 agam. 27 gheabhain-sa. 28 poinnt. 30 ioná. 32 bhruingeal. lann do. 33 Sé. 34 thuadh. 35 'nár. 36 labharthan. a t-éan, 'sa. 37 phógfhainn. 38 liom. 39 sgríobhfhainn. chúm. 40 bh-úainn.

33

Ó Mhicheál Ó Riada ó cheantar Shléibhte an Bhreathnaigh a bhailigh Seán Ó Doinn an t-amhrán seo. Deir sé gur chuimhnigh an Riadach ar véarsa breise ar ball, ach níor chuir Ó Doinn ina lámhscríbhinn é toisc gur shíl sé go raibh an téacs fada go leor cheana. Tá ' Máire Ní Mhaoileoin ' tugtha ar an amhrán seo in áiteanna eile in Éirinn, agus is é atá ann ná leagan Gaelach de bhailéad idirnáisiúnta. Baineann an bailéad idirnáisiúnta seo le fear a mharaigh a leannán

[133]

agus a bhí le crochadh dá bharr (cf. Seán Ó Tuama, *An Grá in Amhráin na nDaoine* (Baile Átha Cliath 1960) lch 323). Thug an Riadach údar leis an amhrán, ach is léir nach bhfuil i gceist ach gné den seanchas áitiúil a cheangal leis an téacs mar ghluais air. Seo é an ' t-údar ' úd:

' Old Reade gave the particulars of her tragic fate and the history of her seducer—whose name, however, was not Power, but Levette, hibernicized ' Laveeshagh '. He lived in the parish of the Rower, at a place—I think—called Coolnemuck. The young woman, who moved in the humbler walks of life [.i. i gCill Chainnigh], was graceful in form and possessed of those fascinating attractions which are often beset with danger—as in the present instance. Levette, having won her affections, he took her off to Waterford city where he procured her a place as indoor servant to a respectable family. He called to see her in the course of some time and, finding that she was far advanced in pregnancy, he asked her to prepare and come along with him. Being hospitably treated to a good dinner, the mistress observed something odd and strange in his manner and appearance—especially his darting the fork at the meat with a long stretch of the arm—and she hinted to the young woman the danger of going along with him. The latter replied to the effect that for better or worse she must now cling to the man through whom she had lost her fair fame. Having taken their leave, they travelled until dusk, when they came to a spot called *Bun an tSrutha* at the foot or under the shadow of *Carraig Uí Néill*—a steep rock or precipice overhanging the river Nore between Inistiogue and New Ross. Here, under the darkness of night, he murdered the unfortunate Kilkenny girl in a most shocking manner—ripping her open with a knife until the infant appeared, and then tightly wrapping up both in the bloodstained garments flung them into the river. Seized with agony of mind and remorse of conscience, he wandered long through woods and wilds— his ghastly features and beard hanging down to an enormous length indicating his state of mind. The horrid murder being rumoured and suspicion resting upon him, he was at length apprehended and cast into a dungeon. His trial came on in due course, but he escaped the terrors of the law from his apparent insanity. Death, however, not long after terminated his mental suffering, whilst nature withdrew her clothing of verdure from the bloody spot, which is still well known from its bare and sterile appearance '.

Leanann an cuntas seo ar aghaidh trína rá go mbíodh an t-ógfhear mí-ámhar-ach le feiceáil i gcló ghadhair dhuibh sa timpeallacht úd ina dhiaidh sin. Scéal seanchais é seo a raibh an-tóir air i gceantar Inis Tíog, agus nuair a chuirimid na gnáthmhóitífeanna béaloidis i leataoibh is féidir a fheiceáil gur ar eachtra fhírin-neach éigin atá an scéal bunaithe. Ach is de bharr an chosúlacht chomhthéacsa atá an scéal tugtha mar údar leis an amhrán seo, agus ní féidir aontú le Micheál Ó Riada nuair a ghlacann sé leis gurb ionann an t-ógfhear sa bhailéad agus an Leibhíseach bocht úd ón Robhar. Is féidir gur de bharr an t-údar seo a bheith tugtha leis an amhrán atá an teideal ' Máirín Chill Chainnigh ' againn air. Is cosúla ná a mhalairt gur ' Malaí Bheag Óg ' an teideal bunaidh a bhí ar an leagan seo ó Cho. Chill Chainnigh.

43 *Cambric:* .i. cáimric.

46 *Hollandish:* saghas garbh línéadaigh, arbh san Ollainn is túisce a deineadh é a thairgiú.

[134]

53 *An Paorach:* Is dealraitheach gur in ionad focail eile atá an sloinne seo sleamhnaithe isteach. Tabhair faoi deara, mar sin féin, nach ionann sloinne an fhir anseo agus san údar a thug an Riadach leis an amhrán.

97 *Branraí:* 'Triangle' an míniú a thugann an Donnach leis seo. .i. fearas ceangail sciúrsála. Bhí an nós barbartha pionóis seo in úsáid go coitianta ag na húdaráis san 18ú Céad.

Meadaracht: Neamhaicleach atá san amhrán seo, ar an mbunfhoirmle 2(A + B) + 3A + B. Trí chéim atá in A agus dhá chéim in B. Sa chéim dheiridh amháin atá amas idir na línte. Is ionann B tríd síos agus (ó), agus athraíonn A ó véarsa go chéile. Tá línte 7, 67, 69, 75 neamhrialta. Tá an t-ochtú véarsa (línte 57-66) an-neamhrialta ar fad. Deich líne atá ann, ar an deilbh 2(A + B) + 5A + B .i. dhá B bhreise curtha isteach (tá líne 57 neamhrialta mar A, leis).

Léamha na Lámhscríbhinne: 3 Dean. 5 eisteacht. 6 ministearuidhe. 10 ógánuidhe. 11 Déan. 13 eisteachd. 14 léigheadh. 15 chleachda dhom. 16 ógánuídhe. 17 Reidhinn-sa. 18 tsaoghal. 19 Reidhinn-sa. 27 t-abhalghart. 29 bhfaghmaois. 30 abhla. mbarradh géagaibh. 32 mhaidean. 39 dhon. 43 camric. 46 halanntis. 47 reidhinn. calaith. 49 A mádh. 61 ngeabhadh me. 62 cúante. 69 dhon. 71 scianpenn. 72 dhrolín. 75 an gach. 77 Corca. 79 t-siar. 84 ris a lá. 84 si. 86 tanaidhe. 91 Cionas tá. mháth'rín. 97 Beidheas. mbrannruíghe. 99 Thiocfhas. 104. barlín.

34

Leagan den amhrán grá ' an Ciarraíoch Mallaithe ' atá anseo. Tá an leagan seo curtha in oiriúint do cheantar Osraí ó thaobh canúna agus timpeallachta. Tabhair faoi deara ' Ceatharlach ' a bheith curtha in ionad ' Cairbre ' i líne 1, agus Callainn a bheith i gceist i líne 24. Tá leagan iomlán den amhrán i P. Breathnach, *Ceól ár Sínsear* (BÁC 1923) lgh 155-7.

Meadaracht: Cé gur leagan truaillithe é seo, is féidir bunphatrún an amhráin a thabhairt faoi deara. Is é sin, ceathrúna le haon líne déag iontu, agus iad ar an bpatrún 2A + B + 2A + B + 4A + B. Is ar an gcéim dheiridh i ngach líne atá an t-amas ag brath. Is ionann A agus (a--). Is ionann B agus (ó). Tá dhá líne in easnamh idir líne 14 agus líne 15 sa téacs seo. Tá comhfhuaim i gcuid mhaith de na línte, mar is gnáth san amhrán seo.

Léamha na Lámhscríbhinne: 1 leanan. Caraleach. 2 Caillfuin. 3 siolla. 5 annsa. rachfamaoid. 7 tharbha. 8 nún. 9 hAllabuin. má sé. 12 creidean. 14 annsan. 15 realin. 16 inniúsan. 17 mbeidhmaois. 18 am. scarais. 19 ria. faon. 20 léigead. faon. 21 fuarais. 23 Glaoidhmaoid. tráighmaoid. 24 Tógamaoid. mbeith. gCalain. 25 mhaireadh. 26 mhéinn. 29 maidean. 32 'od. 33 éitheach. 36 gheóbhaid. 37 scarair. 39 t-aigine.

[135]

35

Leagan den amhrán grá ' An Draighneán Donn ', a bhí go mór i mbéal an phobail ar fuaid na tíre (cf. Seán Ó Tuama, *An Grá in Amhráin na nDaoine* (Baile Átha Cliath 1970) lgh 79-80, 279). Tá an fotheideal seo a leanas leis an amhrán sa ls: ' An cailín álainn ó Shliabh na mBan Fionn '.

9-10 Cheil tuismitheoirí an chailín uirthi litir a scríobh an fear chuici.

Meadaracht: Leagan scaoilte de mheadaracht an amhráin, mar is gnáth san amhrán béil seo ar fuaid na tíre. Tá ceithre chéim i ngach líne, agus is ar amas idir céim dheiridh gach líne laistigh den cheathrú a bhraitheann an mheadaracht. Céim aonsiollach atá sa chéim dheiridh seo i gcónaí, ach bíonn cáilíochtaí éagsúla aige, viz. ' á ', ' é ', ' é ', ' é ', ' u ', ' ou ', ' ó ', ' á ', agus 'ou '.

Léamha na Lámhscríbhinne: 1 starre. do. bheag. 4 dho. 5 bheathaig. áit sa. 6 mhaslaig. 8 tsaoghal. 9 mháthairín. 10 láimhsa. léigh léigheadh. 11 madain. 12 Domhnach. 14 starre. dho. bheag. 15 ag<ø. le. 16 ndiagh. mhúirnín. 19 dhiaig. 20 mur ar. mhaireadh. niumh. 21 fhéin. me. 22 go n-tteidhean. 31 aoirdeachd. 32 saobh na gcraobh.

AGUISÍN A

Bhí amhrán i mBéarla ag na saighdiúirí, a bhí páirteach sa chomhrac is ábhar do uimhir 1 sa chnuasach seo ('Bualadh Bhaile Roibín'), mar gheall ar an eachtra. D'éirigh le Seán Ó Doinn an méid seo a leanas den amhrán Béarla úd a bhailiú:

. . . With Corporal Sparks and ten souls
    Of lads who never fail
For to escort nine Whiteboys
    Unto Kilkenny gaol.

As we came through Newmarket—
    A village on the way—
'Tis there we were attacked, boys,
    And had a bloody fray!

Thousands came to oppose us
    With pitchforks, slains, and scythes;
But with our glittering bayonets' heads
    We knocked them all aside!

The said brave Sergeant Johnson
    He showed the greatest game!
Others too were sorely hurt
    But scorned to complain!

Then straight we were conducted
    Unto the Widow Shea's,
And for her tender usage
    She deserves old England's praise!

AGUISÍN B

Bhí amhrán i mBéarla, leis, faoin eachtra atá mar ábhar ag uimhir **2** sa chnuasach seo (' Béal Átha Ragad '). Ar nós an amhráin Ghaeilge, is ag tacú leis na Buachaillí Bána a bhíothas san amhrán Béarla. Seo a leanas an leagan de a bhailigh Seán Ó Doinn:

The first war in heaven, for certain it did begin
Three hundred and ninety before our sweet Saviour sprung
From the womb of a virgin that was spotless, chaste, and free,
That nursed that dear Son who redeemed us from misery.

The next war in heaven, for certain, it did begin
At St. Peter's Church, where the clergy they all knew their doom—
You denied our sweet Saviour, I'm certain you got a great fall!
O cursed Andy Cahill, you are the ruination of all!

The elements are dark, they seem for to show no more light;
The stars from the heavens, they fall down at night
Since the cruel murder that has just happened here below—
Oh, woe, Andy Cahill, torment to you, grief, and woe!

In the County Kilkenny, where we often had rolling sport,
Where young men and maidens they used to daily resort—
But now there is nothing but sorrow, great care, and grief!
O cursed Ballyragget, that never gave man reprief!

There is a beautiful river, I'm certain they call it the Nore—
When it stops of running the fishes they all deplore;
The trout, eel, and salmon, in the sands there they closely lay
From the red streams of blood—since the murder—that come
    this way!

The blackbirds and thrushes no more their notes will sing;
The nightingale she quivers her notes in spring;
The covey, the plover, they flutter their wings and fall
Until they arrive at the sweet Ormonde trees of Dunmore!

[138]

AGUISÍN C

Tugann an sliocht seo a leanas, ar dhein Seán Ó Doinn iarracht ar é a scríobh go foghraíochtúil, léargas cuíosach maith ar an gcanúint mar a bhí i gceantar Gharraí Ricín agus Pholl an Chapaill. Baineann an sliocht le dréacht a scríobh an Donnach sa bhliain 1838. Is é atá sa dréacht meascán de chomhrá agus de véarsaíocht, agus is léir gur mar théacs i gcomhair thaispeántais thaibhsigh a shamhlaigh sé an dréacht. Béarla ar fad atá ann, ach amháin an sliocht seo. Fíorcharachtair ón gceantar ba ea Tomás Tóibín agus Micheál Ó Maolalaigh, agus ní ceart amhras a bheith orainn faoin mBrianach file ach an oiread de réir dealraimh. Is ionann an ' Conaill ' dá dtagraítear sa véarsaíocht agus Dónall Ó Conaill. Is dealraitheach gurbh é an Donnach féin a chum idir shuíomh agus théacs, áfach, agus go raibh i gceist aige gurb iad na carachtair a luann sé a dhéanfadh an aisteoireacht:

They were just going out the door, when lo! Ké vuollagh a stagh ne ginne agh Bawghlin O'Brean, en feille mór, nees O Cúige Linn (es gár o háinic shé ne chúnia, gu Poulecoppuil). Currig fáilthe gal riag—de lagug Bóard magh as e chúorh (dar mu vosthe niar vbórd fulliv e). Nour a via shea threas a ghóghint e a dhól as a ghiahe, du gearr shea, dén chial eid a ve ballehe daunte a cheling en taum sin ghe eeche. Chúe Tomás Tobín an se chahier a reesht, 7 duort she, hees anse letthir leanthe, hanig a níar o Bárd Hshlievenemon rev siagháun e cee esh. De léag Bawghlin é, ghiashe ne hassiv 7 loúr. Fiagh thís mur:

E Vehelia Vullalla! O cafidsa Vearsa rágh
Bia más er en fásthe, o thógash du fpinne ad láv
Es fue síat she vulla! in History beg, nu laúr
Moor e mian tinne es thás, gágh gíashe aunrógh fúor!
Ne vian sip da lassa, gu cláughe cresthe duosh
Nan bullig e sheade, Cárthe Bag as du ghcoúsh.
Agh skialthe fianniaghthu, da ninsint ún gu sáv
Is lurriginnia da luisge, ge claún meáragh áav.

[139]

Es e sheade, dathe e mágh, as hteav mu fpluick,
Gu muohagh mu fpipe, er shimmenea fásagh knick!
Es thuisa ria ne vfar sheav, es cúor ne mbochtáun
E Laddin, nu mbearle, du scriagfágh vearsa no dán
Chún Victoria vuilla, fad ar hdu héal e vbárd
Es fad ar du héal, chún Cunnil du vulla gu hárd
Gu usail brá gaelagh, hiar en se Chappa, gu thaún
Gu siash as gu sáv, en slíav gu hárd as du chaún.

Es e valla, beg graunvur! e vadde via gan Bárd
Du collianne óge, nagh eid ha multha gu hárd!
Es du farriv bra sheav, vie luoghfur ladir threan!
Thourre er ubbar, gashke, scriav as léann!
He balthe elle gu craithe, Keesinna erra har múin
Fe vraka ne hangishe, ge Tioranaig nees ne Dún
Fia mud ne cárde, gur feader lin fiaghent rún
Es cuilla gu suark, ge thorra Cuig e Muin!

Is léir as an gcomhthéacs gur Micheál Ó Maolalaigh atá i gceist
mar 'Bhard Shliabh na mBan'. Seo athscríobh ar an sliocht:

They were just going out the door, when lo! Cé a bhuailfeadh isteach
ina gcoinne ach Báthlaichín Ó Briain, an file mór, aníos ó Chúige
Laighean—is gearr ó tháinig sé ina chónaí go Poll an Chapaill.
Cuireadh fáilte gheal roimheg, do leagadh bord amach os a
chomhair—dar mo bhaiste, níor bhord folamh é! Nuair a bhí sé tar
éis a dhóchaint (.i. dhóthain) a dh'ól is a dh'ithe do dh'iarr sé 'dén
chiall iad a bheith bailithe i dteannta a chéiling an t-am soin dhe
oíche. Chuaigh Tomás Tóibín insa chathaoir aríst, agus dúirt sé—
thíos insa litir léannta a tháinig aniar ó Bhard Shliabh na mBan—go
raibh Seán ag caoi air. Do léigh Báthlaichín é, dh'éirigh ina sheas-
amh, agus labhair. Féach thíos mar:

A Mhichíl Uí Mhaolalaigh, ó, caithfeadsa véarsa a rá!
Beidh meas orainn feasta, ó thógais do pheanna id' láimh
Is 'fuair iad seo a mholadh in *history* beag nó leabhar—
Mar a mbíonn tine is teas gach geimhreadh anróidh fuar;
Ní bhíonn soip dá lasadh gach lá go crosta duais
Ná na boilg á séideadh—cearda bheag os do chomhair—
Ach scéalta Fiannaíochta dá n-insint ann go sámh

[140]

Is loirgne dá loisceadh aige clann mheidhreach shámh
Is ag séideadh deataigh amach as thaobh mo phluic—
Go mbuafadh mo phíopa ar shimné fásach cnoic!
Is tusa rí na bhfear séimh is cabhair na mbochtán,
I Laidin nó i mBéarla do scríobhfá véarsa nó dán
Chun *Victoria* bhuile—faid ar do shaol, a Bhaird,
Is faid ar do shaol chun Conaill do mholadh go hard!
Go huasal breá Gaelach thiar insa Cheapaigh go teann,
Go saibhir is go sámh—an sliabh go hard os do chionn!
Is, a bhaile bhig ghreannmhair i bhfad a bhí gan bard,
Do chailíní óga nach iad athá molta go hard ?
Is do fearaibh (*sic*) breá séimh a bhí lúfar láidir tréan
Tabhartha ar obair, gaisce, scríobh is léann!
Thá bailte eile go cráite—cíosanna orthu thar meon,
Fé bhráca na hainnise aige tíoránaigh aníos ina dtóin!
Faighimidne cairde, gur féidir linn féachaint romhainn
Is codladh go suairc aige teora Chúige Mumhan!

SAOTHAIR THAGARTHA

Bernard Burke, *Landed Gentry of Ireland* (eagrán nua, Londain, 1912).

George Dames Burtchaell, *Members of Parliament for the County and City of Kilkenny* (Baile Átha Cliath 1888).

Rev. William Carrigan, *The History and Antiquities of the Diocese of Ossory*, Iml. 1-4 (Baile Átha Cliath 1905).

Tomás de Bhaldraithe, *Cín Lae Amhlaoibh* (Baile Átha Cliath 1970).

G. E. C., Vicary Gibbs, H. A. Doubleday, Duncan Warrand, Howard de Walden, G. H. White, R. S. Lea, *The Complete Peerage*, Iml. 1-12 (Londain 1910-1959).

Journal of the Kilkenny Archæological Society, Iml. 1-9 (1853-1867) .i. *JKAS* anseo.

John Lodge, Mervyn Archdall, *The Peerage of Ireland*, Iml. 1-7 (Londain 1789).

James Maher, *Romantic Slievenamon* (Muileann na hUamhan 1954).

Old Kilkenny Review (iris an ' Kilkenny Archæological Society '), Iml. 1-25 (1946-1973), Sraith Nua 1974- .i. *O.K.R.* anseo.

Owen O'Kelly, *A History of County Kilkenny* (Cill Chainnigh 1969).

' Tythe Applotment Books ', san Oifig Thaifead Poiblí, Baile Átha Cliath .i. ' Deachuithe ' anseo.

DAOINE

Agar, *James*, **12.44.**
Anastás Bhán (?), **22.6.**

Baxter, ?, **7.53.**
Bhreathnach, Máire, **28.**
Bonaparte, Napoleon, **3.5; 4.5.**
Blúindean, *John,* **12.45.**
Blúindin, .i. an mhuintir, **12.15.**
Breathnach, Adam, **28.19.**
Breathnach, 'Liféar, **28.6,** 15.
Breathnach, Micheál, **1.29.**
Breathnach, Micheál, **28.2.**
Breathnach, Oram, **28.19.**
Breathnach, Paidí, **12.** 46.
Breathnach, Piaras, **28.33.**
Breathnach, Roibeard, **28.6.**
Breathnach, Séamas, **30.**
Breathnach, Seán, **28.17.**
Breathnaigh, .i. an mhuintir, **1.**36;
12.11; **16.**10; **28.26.**
Brúnaigh, .i. an mhuintir, **14.15.**
Budds, William, **7.55.**
Buitléar: féach de Buitléir.
Buitléirigh, .i. an mhuintir, **10.3,** 24.
Cf., leis, *Ormondes.*

Cáit (?), **15.9.**
Cáit an Ghleanna (?), **17.15.**
Connors, ?, **22.8.**
Cromail, Oilbhéar, **6.**18; **28.7,** 38.
Cromwellian, **29.35.**
Cuffe, Seón, **12.**
Cuffe, Otway, **12.83.**
Cuffeigh, .i. an mhuintir, **12.16,** 86.

Dáibhí (?), **18.11.**
de Buitléir, Eleanor, **11.**
de Buitléir, Seán Óg, **10.**
de Buitléir, Sibéal, **11.22.**

de Buitléir, Váitéar, **11.21.**
Delany, ?, **29.7.**
de Paor, Tomás, **29.**
Dia, **2.**17,19,20; **7.**4,52; **8.**4; **12.**83,
84; **14.**17, 28; **19.**30; **21.**1; **29.**1;
33.81.
Diúic, an (.i. *Frederick, Duke of York
and Albany*), **25.2.**
Eagan, Thomas, **7.53.**
Éibhear, **7.20.**

Farrell, Father, **31.9.**
Féinn, an Fh., **9.**1, 16.
Fir Bhána, **1.**64, 68.
Francach, an, **1.**62; **31.1.**
Francaigh, na, **25.4.**

Grásaigh, .i. an mhuintir, **12.11.**
Georgeigh, .i. an mhuintir, **12.14.**
Graoineach, an (.i. *John Greene*), **19.**

Hamilton, Hans, **7.21.**
Hewetson, Christopher, **2.**16, 24, 31, 34.
Hunt, William, **8.26.**

Impire, an t-I. (.i. *Francis I,* Impire
na hOstaire), **4.6.**
Iníon Rí *Poland* (.i. *Maria
Leszczynska*), **28.21.**

Leon na Sláine (.i. an t-Ath. Seán
Ó Murchú), **21.11.**
Liútar, Máirtín, **4.**15; **7.40.**

Mac Dónaill, Seán Clárach, **17.**10.
Mac Innéirghe, Gearalt, **26.3.**
Mac Mathúna, Éibhear, **21.11.**
Maigí an Tromáin (?), **12.8.**
Máire (?), **1.65.**

[143]

Máire (?), **2.33.**
Máire (?), **15.9.**
Máire (?), **29.8.**
Máire, na trí Mh., **16.1.**
Máirín Chill Chainnigh, **33.**
Major, an (.i. *James Gibbons,* is cosúil),
7.51.
Malaí Bheag Ó. **33.**
Muire, **2.**17, 32; **14.**14 (' Máire ').

Naoise, **10.17.**
Ní Cheallaigh, Bríd, **32.**
Ní Chinnfhaolaidh, Máire, **31.**
Ní Lanagáin, Máire, **13.**

Ó Ceallaigh, Risteard, **1.**18, 27.
Ó Cinnfhaolaigh, ?, **31.2.**
Ó Conaill, Dónall, **7.**17; **8.**11, 27.
Ó Corra, Piaras, **24.8.**
Ó Cuanaigh, ?, **12.**21, 23.
Ó Deá, Seán, **27.10.**
Ó Diarmada, Pádraig, **1.**13, 17, 21,
23, 27.
Ó Doinn, Dónall, **18.5.**
Ó hAidhlirt, ?, **1.49.**
Ó hAidhlirt, Séamas, **26.15.**
Ó Lanagáin, Séarlas, **13.6.**
Ó Lanagáin, Seón, **13.6.**
Ó Lanagáin, Stanard, **13.7.**
Ó Lanagáin, Uilliam, **13.6.**
Ó Macdha, Risteard, **17.**8, 12.
Ó Meachair, Liam, **31.**11, 13, 17.
Ó Milléadha, Tomás, **21.**
Ó Nadaigh, Lionard, **20.7.**
Ó Riada, Pádraig, **19.**16, 20, 24.
Ó Riada, Seoirse, **1.39.**
Ó Riain, Dónall Rua, **26 ; 27.**

Ó Scoiridh, Micheál, **1.**17, 28.
Ó Sé, Risteard, **14.**
Ógánaigh, .i. an mhuintir, **28.**14.
Ormondes, **3.**20; **11.15.**
Oscar, **2.35.**

Paor: féach de Paor.
Paorach, an, **21.5.**
Paorach, an, **33.53.**
Pápa, an, **1.**61; **16.**9; **21.4.**
Peadar, Naomh, **4.**12; **29.37.**
Phoebus, **28.**4; **32.39.**
Pilib, (?), **22.6.**
Pól, Naomh, **29.37.**
Polly (?), **30.**5, 25.
Prescott, John, **7.53.**
Púca, an (.i. *Fulk Den,* is cosúil), **28.**16.

Rí, an (.i. Rí Shasana, Seoirse 2), **5.**19
Rí *Poland* (.i. *Stanislaw Leszczynska,*
28.21.
Roibeaird, Máire, **29.1.**
Sacsain, na, **25.33.**
Séamas (?), **18.**12, 16.
Séamas, Rí (.i. Séamas 2, Rí Shasana)
7.50.
Seán (?), **2.39.**
Seán (?), **18.11.**
Seán an buailteoir (?), **7.52.**
Seoirse (.i. Seoirse 3, Rí Shasana), **4.4.**
Síle (?), **15.9.**
Siobhán, re ' Clann Siobhán ' (.i. na
Buachaillí Bána), **29.11.**
Spáinneach, an, **1.62.**
Sútúin, .i. an mhuintir, **28.13.**

Uí Mhacdha, Éilín, **17.8.**

ÁITEANNA

Alba, **25.**1, 9; **34.**9.
Áth an Iúir, **21.**9.

Baile an Phoill, **7.**37, 41; **26.**1.
Baile Héil, **7.**14.
Baile Hugúin, **7.**38.
Baile na Móna, **19.**23.
Baile Roibín, **1.**
Baile Uí Fhinn, **28.**33. Cf. ' Buaile an Fhinn '.
Baile Uí Ghroinn, **30.**28.
Baile Uí Thuathail, **13.**1.
Bealach, an, **13.**10.
Béal Átha Luain, **9.**22.
Béal Átha Ragad, **2.**
Bearna na Gaoithe, **7.**35; **22.**
Boston, **5.**6.
Breatain, an Bh., **28.**25.
Bríd, an Bh., **15.**6.
Buaile an Fhinn, **31.**16,18. Cf. ' Baile Uí Fhinn '.

Caiseal Mumhan, **8.**25; **31.**23.
Callainn, **7.**36; **12.**9, 30; **21.**2; **34.**24.
Carraig an tSnámha, **7.**14.
Carraig na Siúire, **1.**48; **12.**12; **31.**22.
Carraig Seac, **7.**
Ceanannas, **7.**35; **20.**
Ceapach, an Ch., **17.**2.
Ceatharlach, **34.**1.
Ciarraí, **15.**
Cill Achaidh, **12.**18.
Cill Chainnigh, **1.**56; **3.**3; **5.**13; **9.**20; **11.**30; **12.**72; **29.**24; **31.**11; **33.**
Co. Chill Chainnigh, **2.**1; **8.**16.
Cill Chéise, **7.**7,9,24,31; **25** ; **27.**1, 12.
Cill Chreagáin, **28.**17.
Cill Lamhraigh, **7.**34; **14.**36; **31.**24.

Cill Mhanach, **32.**1.
Cill Mhuineog, **17.**1.
Cill Phiocáin, **28.**36.
Clár, an, **9.**
Cloch Liath, an Ch., **9.**28.
Cluain Meala, **5.**14; **31.**22.
Cluain Mórnail, **12.**45.
Cluain Uisneach, **9.**18.
Cnoc Fiodh na gCaor, **4.**12.
Cnoc Gréine, **3.**18.
Cnoc Mhaoláin, **26.**15, 27, 39; **28.**18.
Coill an Bháigh, **27.**2.
Corcaigh, **33.**77.
Crann Moling, **17.**
Críoch Éibhir, **10.**4.
Críoch Fódla, **30.**19.
Crua-Bhaile an tSléibhe, **28.**19.

Daingean na sceach, **14.**10.
Dama, an, **12.**15.
Doire Cholmcille, **9.**19.
Droichead na Tuaire, **30.**1.
Dúiche Ara, **24.**
Durlas, **31.**23.

Eadáin, an, **4.**5.
Éire, **7.**17; **8.**9; **10.**1,18; **12.**24; **25.**1, 9; **28.**35; **31.**1.
Europe, **25.**10.

Faichín, **31.**3.
Fearnóg, an Fh., **28.**1, 29.
Feoir, an Fh., **2.**2, 47.
Frainc, an Fh., **4.**10; **10.**18.

Gaise, an Gh., **20.**8.
Garraí na mBan, **20.**2, 8.
Garraí Ricín, **11.**12, 16, 23.

Holland, **25.**13.

Inse, an, **12.**36, 53, 55, 75.

Laighin, **8.**26; **14.**22; **26.**18.
Leacht Breac, **7.**34.
Leamhach, an, **13.**6.
Loinneán, an, **31.**4.

Mainister, an Mh., **34.**32.
Móin, an Mh., **18.**6.
Móin Choinn, **7.**38.
Muileann na Cille, **17.**16.
Mumhain, an Mh., **29.**29.

Páras, **3.**4; **21.**24.
Poland, **28.**21.
Poll an Chapaill, **29.**32.
Port Láirge, **16.**4; **22.**24.
Port Laoise, **5.**15.

Raithneach, **32.**1.
Ros Mhic Thriúin, **4.**

Sasana, **25.**1, 9; **26.**7; **27.**3; **30.**35; **33.**46.
Sasana Nua, **7.**26.
Siúir, an tS., **10.**21.
Sláine, an tS., **21.**11.
Sléibhte Breathnach, **27.**4.
Sliabh Arda, **3.**18.
Sliabh Díle, **14.**10; **21.**5.
Sliabh gCruinn, **28.**5; **40.**
Sliabh na mBan, **4.**1; **35.**23.
Sliabh Rua, **21.**25.
Spáinn, an, **4.**10; **23.**8.
Sráid Eoin, **29.**31.
Stún Chárthaigh, **14.**13.

Talamh an Éisc, **5.**5; **7.**26; **30.**34.
Tiobar Fhachna, **23.**
Triopall, an, **15.**7.

Wales, **28.**11.

FOCLÓIRÍN

' á: .i. 'dá ', *passim.*
abhar: .i. ' ábhar ', **7.**2.
aicíde: .i. ' aicíd ', **35.**3.
Aifreannach: ' sayer of Mass ', **14.**20.
aistir: aimsir chaite de ' aistear ' .i.
  ' aistrigh ', *to transfer,* **14.**17.
amaill: *misfortune/deforming disease* (?),
  2.15.
anfa-ghaol: *unrestrained lamenting,*
  14.32.
anmain: iol. de ' anam ', *life,* **1.**5.
ardchléire: *learned company of the*
  highest order, **10.**3.

báibín: *darling,* **35.**19.
bairlín: .i. ' bráillín ', **33.**104.
barr: *danger,* **5.**12.
barra-thais: .i. ' barrthais ', **21.**20.
beiréad: .i. ' bairéad ', **12.**7.
bonn: ' ar mo bh.', *immediately behind*
  me, **30.**10.
borrthaibh: tabh. iol. de ' borradh ',
  swelling (of eyes from lamenting)/
  convulsions, **1.**3.
brách: .i. ' bráth ', **1.**50.
brainse: *scion,* **28.**15.
bráithrín: *beloved relative,* **1.**32. Is
  dealraithí gur *little friar* an chiall
  atá leis an bhfocal i **16.**1.
bréagan: .i. ' bréagadh ', **31.**19.
buaiceach: *high-growing,* **22.**19.
buairt: .i. ' buaireamh ', **14.**30.

caemhthach: .i. ' coimthíoch ', **11.**5.
cáil: ' le c.', *reputably,* **4.**12.
cáile: .i. ' cáil ', **22.**2.
caladh: ' thar c.', *over the sea,* **3.**6, 22.
carnadh: *buffeting,* **1.**67; **22.**23.

casair: .i. ' cosair ', **2.**7.
ceart: dobhr., *really,* **4.**3.
claíomh cúil: *broadsword,* **28.**8.
cliar: .i. ' cléir ', *poetic person,* **12.**4,
  10, 20.
cnap: ' c. tí ', *a sturdy house,* **30.**3.
codladh: ' ina c.', *reposing (of blood*
  in veins), **31.**7.
coitear: .i. ' coite ', **32.**19.
congbhála: *implement,* **22.**11.
córach: *a comely person,* **14.**2.
crann: *protector,* **12.**52, 77.
créim: ' gan ch.', *unworn/youthful,*
  35.14.
cuaille: ' c. an chluiche ', *the advantage,*
  19.7.
cuir: ' ag c. ina dhiaidh ', *bidding for*
  it, **26.**14; ' ag c. síos do ', *making*
  allegations against, **22.**6.
cúntas: .i. ' cuntas '. ' Déanfadh mé
  cuntas le ', *I will close the account with,*
  22.26.
cúrsa: *chase,* **26.**10; ' i gcúrsaí ', *with*
  regard to, **22.**28.

dán: ' nó go ndán go ', *until it*
  happened that, **32.**7.
daothain: .i. ' dóthain ', **12.**23.
deargbhráthair: *really close relative,*
  22.13. Is cosúil gur leagan fileata é
  de ' deartháir ' (' dearbhráthair ').
deis: ' ar dh. na gaoithe ', *facing the*
  wind, **15.**3.
deor: *drop,* **28.**10.
dínsiúinín: .i. ' doinsiúinín ', **5.**16.
dinsiúna: .i. ' doinsiún ', **29.**22.
diúca: iol. de ' diúic ', **16.**3.
doith: dobhr., *early,* **35.**11.
dorchadas: *confusion,* **14.**27.

duas: .i. ' duais ', *reward*, **29.25.**
dúchais: .i. ' dúchas ', **25.6.**

fallaing: ' ar fallaing ', *under protection*, **26.34.**
faolsadh: .i. ' faosamh ', **14.4.**
fearb: *buttercup*, **2.25.**
feothan: ' ar f.', *with a breeze*, **12.82.** Is cosúil gur imeacht an anama leis an anáil ar uair an bháis atá i gceist. Ach b'fhéidir gur truailliú atá sa chaint ar ' ar feo uainn '.
fiar: ' ná fiarfadh ', *who would not pervert*, **4.3.**
fíorthann: .i. ' feorainn ', **2.25.**
fogasghaoil: gin. de ' fogasghaol ', *of near relationship*, **1.32.**
fóirneart: .i. ' forneart ', **4.8.**
fómharaí: iol. de ' fómhar ', *harvest-crop*, **10.19.**
fuagraim: .i. ' fógraím ', **12.75.**
fuíoll: *fault/defect*, **10.24.**
fuirist: .i. ' furasta ', **26.33.**
fúirnis: .i. ' foirnéis ', **12.32.**
furas: .i. ' furasta ', **11.6.**

gaibhte: .i. ' gafa ', **30.39.**
gáirfhiach: *screeching raven*, **2.46.**
garda: *watch*, **21.16**; ' ár ngardaí ', *our forces*, **3.12.**
gatachán: *dirty fellow* (viz. ' guta '), **12.5, 19.**
geamharaí: iol. de ' geamhar ', **10.19.**
gearr: *deficient*, **22.4.**
glao: ' le glao air ', *to have recourse to him*, **13.8.**
grátaí: *gratings* (*on prison-cell apertures*), **29.41.**
grinn: .i. ' greann ', **8.7.**
gruagach: *thick-growing*, **22.19.**

ionann: .i. ' is ionann ', *it is the same as if*, **22.22.**
ionúil: *timely/suitable*, **12.59.**

jaicéad: .i. ' seaicéad ', **12.66.**

láibeach: *muddy/dirty*, **12.3.**
laodaíocht: *surging up*, **10.22.**
léab: .i. ' leadhb ', **12.7.**
leacaí: *lackey* (?); iol. de ' leac ', ' leaca ' (?), **2.40.**
leagadh: .i. ' leagan ', *to lower*, **6.2.**
leagan: ' ag leagan creach ', *accomplishing destructions*, **9.16.**
léig: .i. ' lig ', **7.10.**
léir: dobhr., *explicitly*, **6.2.**
leon: *champion*, **14.22.**
leonta: *championlike*, **30.20.**
líonta: *wealthy*, **28.26.**
lorgadh: .i. ' lorg ', **30.2.**
luaimneach: .i. ' luaineach ', **27.1.**
lúth: ' géarghlais ar l.', *stiff locks being shot open*, **7.30.**

maide: ' fiacla maide ', *teeth like sticks*, **24.2.**
meargaí: .i. ' mearga ', *vigorous/enticing*, **32.10.** Is léir ón meadaracht gur ' maorga ' is túisce a bhí san ionad seo.
méirleach: .i. ' meirleach ', **7.33, 42; 18.19; 31.8.**
méithphoc: *fat fellow* (*.i. establishment man*), **7.8.**
míneas: .i. ' míneadas ', **1.11.** B'fhéidir gur truailliú atá ann ar ' mínchneas ', *smooth skin*.
mol macha: *flock of crows*, **2.46.**
mórtais: .i. ' mórtas ', **28.21.**

néalaibh: tabh. iol. de ' néal ', *depression;* ' dá néalaibh ', *from depression on their account*, **1.6.**
ín: .i. ' níl ', **12.38, 41, 42; 22.28.**

peanna: iol. de ' peann ', **19.4.**
piléara: iol. de ' piléar ', *pillar*, **17.6.**
poc: ' *puck* '/*fellow* (*derogatory*), **7.8, 18; 19.1, 16, 20.**
pointe: ' ar p.', *instantly*, **11.2.**
preabadh: *starting up*, **9.1.**
réiltheann: .i. ' réilteann ', **34.15.**

réim: *stamina*, **21**.15.

roimhes: ' r. an lá ', .i. ' roimh an lá ';
2.7; **33**.84, 100.

ruaig: ' go mbuailfeadh an r. an
t-airgead ', *that the money would be
dissipated*, **22**.14.

ruaille: .i. ' ruailleach ', *slattern*, **1**.45.

rúcach: *uneducated person*, **6**.2.

ruig: .i. ' sroich ', **29**.43.

scrúdadh: ' an véarsa so a s.', *to exert
this verse*, **28**.23.

scuaineart: *litter (derogatory, of people =
' gang ')*, **21**.10.

seanaí: *iol. de ' sean ' elder*, **3**.17.

shar/shara: .i. ' sar '/' sara ' = ' sul '/
' sula ', *passim*.

síonmhar: *stormy*, **35**.23.

síoraí: .i. síoraíocht, **14**.29.

siúl: ' go siúlfaidh do thréithe leis ',
*that your attributes will be part of his
character*, **12**.88.

sleá: go meafarach, *athletic man*, **10**.24.

sliogán: ' sliocht sliogáin ', *offspring of
useless parents* (?), **18**.8.

socaire: *calm-mannered person*, is cosúil
an chiall atá leis. Is ar éigean a
chiallódh an focal sa chomhthéacs
seo duine a mbeadh soc air, nó
duine fiosrach: **14**.25.

soineanta: *guileless/simple*, **19**.5.

spreagaint: .i. ' spreagadh ', **14**.30.

spreagaire: *provoker*, **26**.32.

spreota: *lanky fellow (derogatory)*, **9**.5.

staon: ' ní dh'iontódh s. in m'aigne ',
*my mind would not be changed in the
slightest*, **27**.11.

stát: .i. ' eastát ', **28**.32.

stialladh: ' ag s. go talamh ', *lacerating
the ground itself*, **12**.31.

sú na gcraobh: .i. ' sú craobh ', **35**.32.

suain: aidiacht ón ngin. de ' suan ';
' go suain ', *drowsily*, **2**.38.

súchan: .i. ' sú ', *waning (of strength)*,
1.47.

suil: .i. ' sul ', **12**.24.

téadraibh: tabh. iol. de ' téad ', **29**.31.

teampall: *Protestant church*, **8**.13.

teangadh: .i. ' teagmháil ', **22**.32.

thá: .i. ' tá ', maraon le leaganacha
táite den bhriathar leis, *passim*.

tigh an ósta: *public-house*, **1**.1.

traochnú: .i. ' traochadh ', **1**.53.

treascradh: .i. ' treascairt ', **7**.15.

triail: ' dá ndéanfaí mo cheann a
thriail ', *if I were to be tried for my
life*, **26**.16.

tríos: ' tríos na ' .i. ' trí na ', **2**.51.

tuataí: iol. de ' tua ', **7**.43.

uan: go meafarach, *friend*, **18**.6.

úrsa-fhear: *strong man* (focal fileata is
ea ' úrsa ' ón Laidin *ursa* =
beithir), **1**.17.